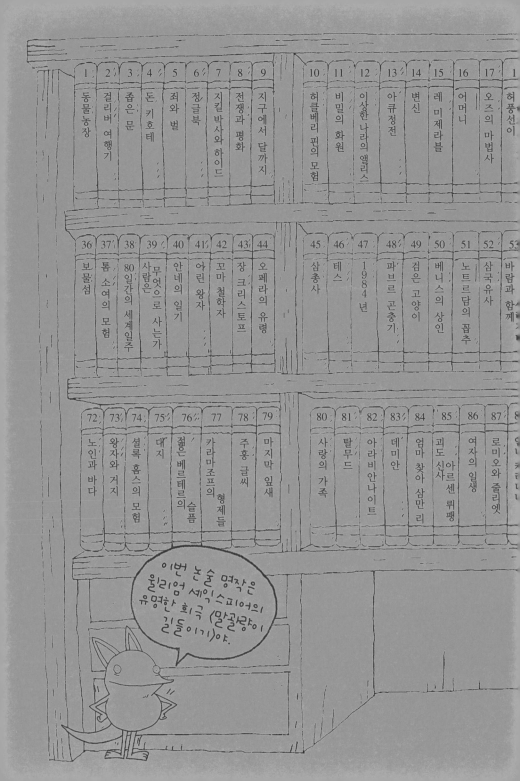

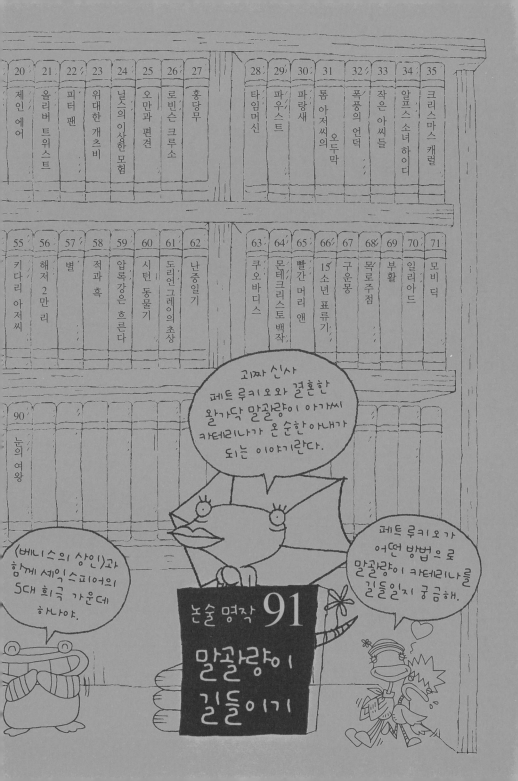

아이세움 논술 | 명작 91

말괄량이 길들이기

감수 방민호

서울대 국문과, 같은 과 대학원을 졸업했습니다. 제1회 창비신인평론상과 제18회 김달진문학상을 수상했으며, 현재 서울대 국문과 교수로 재직 중입니다. 〈비평의 도그마를 넘어〉, 〈문명의 감각〉을 비롯한 많은 책을 쓰고 엮었습니다.

아이세움 논술 | 명작 91

말괄량이 길들이기

원작 윌리엄 셰익스피어 | **엮음** 송은진 | **그림** 이창우 | **감수** 방민호

펴낸날 2011년 3월 15일 초판 1쇄, 2013년 10월 25일 초판 5쇄

펴낸이 김영진

본부장 조은희 | **사업실장** 이영호

편집장 박철주 | **편집 · 진행** 박은식, 백한별, 이미호, 안아름 | **디자인** 강류아

펴낸곳 (주)미래엔 | **주소** 서울시 서초구 잠원동 41-10

전화 마케팅 02)3475-3843~4 편집 02)3475-3924 | **팩스** 02)541-8249

등록 1950년 11월 1일 제16-67호 | **홈페이지** www.i-seum.com

ISBN 978-89-378-4980-0 74840

ISBN 978-89-378-4116-3 (세트)

· 책값은 뒤표지에 있습니다.

· 파본은 구입처에서 교환해 드리며, 관련 법령에 따라 환불해 드립니다. 다만, 제품 훼손 시 환불이 불가능합니다.

Mirae Ⓝ 아이세움은 (주)미래엔의 어린이책 브랜드입니다.

아이세움 논술 | 명작 91

말괄량이 길들이기

윌리엄 셰익스피어 원작

송은진 엮음 | 이창우 그림

아이세움
i-seum

명작은 인간과 사회를 이해하는 첫걸음입니다

많은 사람들에게 재미와 감동을 주는 탁월한 작품을 명작이라고 합니다. 그중 시간과 공간을 초월하여 변함없이 사랑받아 온 작품을 고전이라고 하지요.

우리는 어릴 때부터 고전과 명작 읽기의 중요성에 대해 배워 왔습니다. 고전 명작이 소중한 이유는 그 안에 인간과 사회에 대한 작가의 치열한 상념이 녹아 있기 때문입니다. 탄탄한 서사 구조 속에 재미와 감동은 물론, 시대를 대변하는 보편적인 가치가 반영되어 있기 때문입니다.

따라서 고전 명작을 읽을 때에는 작품 속 주제 의식이나 작가의 세계관을 올바로 이해하려는 노력이 필요합니다. 작가가 작품을 쓰던 당시의 사회적 배경이 어떠하였는지, 또 작품에서 가장 중요하게 다루고 있는 논쟁거리가 무엇인지에 대해 깊이 고민해야 합니다. 주제, 줄거리 등을 단편적으로 암기하는 것이 아니라 작가와 교감을 통해 인간과 사회에 대한 이해를 넓혀 가는 것입니다. 이런 노력이 뒷받침되어야 우리는 비로소 고전 명작을 읽었다라고 이야기할 수 있습니다.

〈아이세움 논술 | 명작〉은 고전 명작이 어른들의 전유물이라는 편견을 버리고, 재미있는 삽화와 쉬운 문장으로 구성하였습니다. 그리고 작품을 읽기 전에 작품을 둘러싼 시대적 배경을 알려 주고 읽은 후에는 작품에 대해서 토론하면서 생각할 수 있도록 구성되어 있습니다. 어린 독자들이 고전에 친숙해질 수 있는 기회를 주는 책이라고 생각합니다.

어린 시절에 읽는 양서 한 권이 어린이의 미래를 바꿉니다. 부디 〈아이세움 논술 | 명작〉으로 세계를 바라보는 안목을 높이고 자기만의 세계를 공고히 다져 나가기 바랍니다.

서울대학교 국어국문학과 교수

방 민 호

명작 읽기의 소중함

열심히 책만 읽기에는 너무 고단한 우리 학생들에게 다시 '논술' 열풍이 불고 있다. 학생들이 스스로 즐겨 그렇게 된 것은 아니지만, 학생들을 위해 결코 나쁜 일이라고만 말할 수는 없을 것이다.

새삼스러운 얘기일 터이지만 좋은 글을 쓸 수 있는 가장 빠른 길은 "많이 읽고(다독多讀) · 많이 쓰고(다작多作) · 많이 생각(다상량多商量)"하는 삼다(三多)밖에 다른 것이 없다.

먼저 다독이 문제다. 많이 읽는다고 해서 아무 책이나 마구잡이로 읽는 것을 다독이라고 하지는 않는다. 많이 읽되, 좋은 책을 읽을 때 그것이 다독이다. 그렇다면 어떤 책이 좋은 책일까?

우선 고전이라 할 명작에는 사람이 세상을 살면서 알아야 할 온갖 삶의 지혜와 가치가 담겨 있다. 가령 〈지킬 박사와 하이드〉에서는 인간 내면에 혼재해 있는 선과 악의 대립을, 〈동물농장〉

에서는 삶을 한없이 타락시키는 전체주의와 아름다운 삶을 지향하는 인간의 무한한 이상의 끊임없는 갈등과 투쟁에 대한 반추를 해 볼 수 있다. 이런 고전을 재미있게 읽고 생각하는 기회를 갖는 것이 바로 좋은 글을 쓸 수 있는 바탕이다. 문제는 고전이 너무 어렵고 분량이 방대하다는 점이다.

이번에 출간된 〈아이세움 논술 | 명작〉은 원전의 내용을 재구성해 어린 학생들이 쉽게 고전과 친해지도록 만들었다. 지루함을 덜기 위해 캐릭터를 사용해서 그 캐릭터들과 끊임없이 교감하며 끝까지 책을 손에서 놓지 못하게 만든 것도 이 시리즈의 특색이요 장점일 터이다. 책 뒤에 논술을 학습할 수 있도록 논술 워크북과 가이드북을 제공하여 '학습과 논술'이라는 두 문제를 다 해결할 수 있도록 배려한 점도 주목할 만하다. 어린 학생들이 편안하고 소중한 독서 경험을 하리라 본다.

물론 이 명작선은 완역본이 아니므로 이것만 읽어서는 해당 작품을 제대로 읽었다고 말할 수 없을 것이다. 그러나 훗날 학생들이 성장하여 완역본으로 다시 읽고 올바르게 이해하는 데 큰 도움이 되도록 세심한 배려를 했다.

이 점도 이 시리즈가 귀하고 값진 이유이다.

시인
신경림

|차 례|

안녕, 난 **뒤뚱이**야.
뱁티스타의 두 딸을
둘러싸고 벌어지는 결혼
소동이 흥미진진해.

난 **번쩍이**.
말괄량이 카테리나가
괴짜 신사 페트루키오와
결혼한 뒤 얌전해진대!

짚신도
짝이 있다더니,
페트루키오와 카테리나는
천생연분이지 뭐야.

비밀 결혼식까지
올리는 비앙카와
루첸티오의 이야기도
정말 재미있어.

박테리아   고로케   튜브   팬티맨

PART 1

PART1 PART1
PART1 PART1 PART1
PART 1 PART 1 PART 1 PART 1
PART 1 PART 1 PART 1 PART 1 PART 1
PART 1 PART 1 PART 1 PART 1 PART 1
PART 1 PART 1 PART 1 PART 1 PART 1 PART 1
PART 1 PART 1 PART 1 PART 1 PART 1
PART 1 PART 1 PART 1 PART 1 PART 1
PART 1 PART 1 PART 1
PART 1 PART 1

먼저 살펴보기

카테리나가 얼마나
말괄량이인지 같이 볼래?

PART 1

명작 살펴보기

말괄량이는 내게 맡겨!

이탈리아 파도바의 젊은이들이 한숨을 푹푹 내쉬었어요. 밥티스타의 둘째 딸에게 청혼하고 싶은데, 말괄량이 큰딸이 앞을 가로막고 있어서 결혼은 꿈도 꿀 수 없었거든요. 어떻게 하면 카테리나를 먼저 시집보낼 수 있을까요?

말괄량이 카테리나가 페트루키오와 결혼을 하고 나서
양처럼 온순해졌어요. 베로나의 괴짜 신사 페트루키오가
카테리나를 어떻게 길들였는지 궁금하지요? 그 비결이 뭔지
이야기 속으로 함께 들어가 볼까요?

천방지축 말괄량이의 결혼 이야기

밥티스타의 큰딸 카테리나는 소문난 말괄량이에 소리도 고래고래 지르는 괴팍한 성격의 아가씨랍니다. 그래서 카테리나와 결혼하겠다는 남자가 한 명도 없었어요. 상냥하고 아름다운 동생 비앙카에게는 구혼자들이 줄을 잇는데 말이에요.

그러던 어느 날 베로나에서 온 괴짜 페트루키오가 카테리나에게 청혼을 합니다. 페트루키오는 카테리나를 얌전하고 정숙한 여인으로 바꿔 놓겠다고 큰소리쳤지요.

페트루키오는 결혼식장에서부터 제멋대로 행동해 카테리나를 꼼짝 못하게 한 뒤, 결국 말괄량이 카테리나를 순종적인 아내로 길들이는 데 성공한답니다.

진정한 사랑을 만난 비앙카

카테리나의 동생 비앙카는 많은 남자들의 사랑을 한몸에 받고 있었지요. 하지만 좀처럼 비앙카의 마음을 사로잡는 사람을 만날 수 없었어요. 그대로 있다가는 아버지가 정해 주는 남자와 결혼해야 하는 처지였답니다. 그러던 중 루첸티오가 비앙카를 보자마자 첫눈에 사랑에 빠졌어요. 그래서 하인과 신분을 바꿔 비앙카의 가정 교사로 숨어들어요. 수많은 경쟁자를 물리치고 비앙카의 마음을 얻기 위해서였지요. 다행히 비앙카는 가정 교사로 들어온 루첸티오를 만나 진정한 사랑을 할 수 있었어요.

사랑을 쟁취하기 위한 젊은 남녀의 재치와 용기도 엿볼 수 있단다.

Start 발단

이탈리아 파도바의 부유한 상인 밥티스타에게는 아름다운 두 딸이 있다. 말괄량이 큰딸 카테리나에게는 아무도 청혼하지 않지만 둘째 딸 비앙카에게는 오르텐시오와 그레미오, 피사에서 온 루첸티오까지 구혼자들이 줄을 잇는다.

expansion 전개

오르텐시오의 집을 방문한 페트루키오는 말괄량이 카테리나의 이야기를 듣고 곧장 찾아가서 청혼한다. 오르텐시오와 루첸티오도 가정 교사로 변장하고 비앙카의 마음을 사로잡기 위해 노력한다.

climax 절정

우여곡절 끝에 카테리나와 결혼식을 올린 페트루키오는 결혼식 날부터 말괄량이 카테리나보다 더 지독한 행동을 해 카테리나를 꼼짝 못하게 한다. 한편 루첸티오는 경쟁자들을 물리치고 비앙카의 마음을 잡는다.

ending 결말

루첸티오와 비앙카는 비밀 결혼식을 올린다. 루첸티오의 신분을 알게 된 밥티스타는 두 사람의 결혼을 축하하고 사위들을 위해 큰 잔치를 연다. 그 자리에서 사람들은 말괄량이 카테리나가 순종적인 아내가 된 것을 보고 깜짝 놀란다.

열어 봐!

이렇게 읽어 보세요!

괴짜 신사와 말괄량이

카테리나는 말과 행동이 거친 말괄량이지만 속으로는 훌륭한 남편을 만나 행복한 가정을 꾸리고 싶었어요. 하지만 누구도 말괄량이 카테리나에게는 청혼하지 않았답니다. 그런데 이탈리아 베로나에서 온 괴짜 신사 페트루키오가 말괄량이 카테리나에 대한 이야기를 듣고 자신이 카테리나와 결혼하겠다고 큰소리쳤어요.

두둑한 지참금 때문이냐고요? 겉으로는 지참금 때문이라고 했지만 어쩌면 아름다운 마음씨를 숨기고 말괄량이처럼 행동하는 카테리나의 여성스러움을 누구보다 잘 알고 있었기 때문인지도 몰라요. 괴짜는 괴짜끼리 통한다는 말도 있잖아요. 페트루키오는 카테리나가 괴팍스러운 성격만 고치면 훌륭한 여인이 될 거라는 걸 꿰뚫어 보았던 것이지요.

▲ 〈말괄량이 길들이기〉의 배경이 된 이탈리아의 파도바예요.

훌륭한 아내의 모습

여성스러운 데라고는 한 군데도 없고, 거위처럼 꽥꽥 소리만 질러 대는 카테리나는 신붓감으로는 빵점이었어요. 그에 비해 상냥하고 얌전한 비앙카는 신붓감으로는 일등이었지요. 하지만 페트루키오와 결혼한 카테리나는 누구보다 훌륭한 아내가 되었어요. 자신의 의견을 내세우기보다 남편의 생각을 먼저 존중하고 따를 마음의 준비가 되어 있었거든요.

또 사람들 앞에서 남편 페트루키오의 체면을 세워 주고, 다른 부인들에게는 진정한 아내의 의무에 대해 가르치기까지 했답니다. 일등 신붓감 비앙카보다 훨씬 더 의젓하고 훌륭한 아내가 되어 돌아온 카테리나를 보고 사람들이 얼마나 놀랐을지 한번 생각해 보세요.

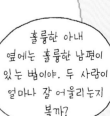

〈말괄량이 길들이기〉는 희극이어서 유쾌한 웃음이 떠나지 않는단다.

▲ 〈말괄량이 길들이기〉의 삽화 중 하나예요. 페트루키오가 말괄량이 카테리나를 길들이는 장면이랍니다.

훌륭한 아내 옆에는 훌륭한 남편이 있는 법이야. 두 사람이 얼마나 잘 어울리는지 볼까?

잠시 휴식! 키위를 먹고 〈말괄량이 길들이기〉를 읽어 보세요!

PART 2 PART 2
PART 2 PART 2
PART 2 PART 2 PART 2
PART 2 PART 2 PART 2 PART 2
PART 2 PART 2 PART 2 PART 2 PART 2
PART 2 PART 2 PART 2 PART 2 PART 2
PART 2 PART 2 PART 2 PART 2 PART 2
PART 2 PART 2 PART 2 PART 2
PART 2 PART 2 PART 2

PART 2 PART 2

맞춤 읽기

말괄량이 카테리나와
상냥한 비앙카를 만나 볼까?

명작 읽기

1장
말괄량이 카테리나

이탈리아 피사에는 루첸티오라는 부잣집 도련님이 살았다. 루첸티오는 전 세계를 주름잡는 큰 상인인 빈첸티오의 하나뿐인 아들이었다.

"아, 따분해!"

남부러울 게 없는 루첸티오에게는 매일 똑같은 풍경이 펼쳐지고, 익숙한 사람들뿐인 마을은 하품이 나올 지경이었다. 루첸티오는 새로운 곳을 찾아 떠나는 여행을 꿈꾸었다. 그래서 아버지 빈첸티오의 허락許諾을 받자마자 그

허락(許諾) : 청하는 일을 하도록 들어줌.

길로 충성스러운 하인 트라니오와 비온델로를 데리고 파도바로 떠났다.

화창한 봄날, 파도바에 도착한 루첸티오는 흥분을 감추지 못했다. 파도바는 생각보다 훨씬 더 아름다운 곳이었다.

"정말 멋진 도시야."

루첸티오는 가슴이 두근거렸다.

"도련님, 이곳에서는 평생을 살아도 싫증이 나지 않겠는걸요."

하인 트라니오도 마음이 들떠 한마디 거들었다. 루첸티오는 고개를 끄덕였다.

"그래, 맞아. 그런데 집을 구하러 간 비온델로는 왜 아직 안 오는 거야?"

"아직 좋은 집을 찾지 못했나 봅니다. 도련님, 저 숲 속 그늘에서 좀 쉬시지요. 곧 오겠지요."

트라니오가 광장 가까이에 있는 숲을 가리키며 말했다. 숲 속으로 들어간 두 사람은 시원한 나무 그늘 아래 앉아

파도바는 이탈리아 동북부에 있는 큰 도시야. 갈릴레이가 교수로 있던 파도바 대학이 유명하지.

잠시 숨을 돌렸다.

그때 광장 쪽에서 꾀꼬리처럼 고운 목소리가 들려왔다.

"아버지, 정말 좋은 날씨예요."

루첸티오는 슬며시 자리에서 일어나 나무 너머로 광장을 건너다보았다. 아버지인 듯한 늙은 신사와 두 명의 아름다운 아가씨가 산책을 나왔는지 한가롭게 광장을 거닐고 있었다. 그 뒤를 두 명의 남자가 졸졸 따라왔다.

늙은 신사의 이름은 밥티스타였고, 꾀꼬리처럼 고운 목소리의 주인공은 밥티스타의 둘째 딸 비앙카였다.

"그래, 사랑스러운 비앙카, 하늘이 참 예쁘구나."

밥티스타는 비앙카의 손을 다정하게 잡으며 말했다. 그러자 큰딸 카테리나가 거칠게 쏘아붙였다.

"흥, 아버지에게는 늘 비앙카뿐이죠?"

밥티스타는 당황한 얼굴로 카테리나를 달랬다.

"카테리나, 너도 내 소중한 딸이란다. 제발 그 불같은 성격 좀 고칠 수 없겠니?"

"저는 원래 말괄량이니 내버려 두세요! 아버지가 비앙

아무것도 아닌 일에 이렇게 심술을 부리다니! 아버지가 카테리나 때문에 걱정이 많겠는걸!

카만 사랑하시는 걸 저도 알고 있다고요."

카테리나는 토라진 표정을 풀지 않고 소리쳤다.

"카테리나, 너는 어째서 그렇게……."

밥티스타는 카테리나를 걱정스럽게 바라볼 뿐 더 이상 말을 잇지 못했다.

밥티스타는 파도바에서 소문난 부자였다. 하지만 안타깝게도 부인이 일찍 죽는 바람에 두 딸을 혼자서 키워야 했다.

두 딸은 모두 빼어나게 아름다웠고, 교양敎養도 풍부했다. 특히 둘째 딸 비앙카는 아름다운 외모만큼이나 고운 마음씨에 양처럼 온순하고 다정한 성격을 지닌 아가씨였다. 남자들에게도 인기가 많아서 청혼하겠다고 찾아오는 사람들이 줄을 이었다.

그러나 큰딸 카테리나는 밥티스타에게 큰 고민거리였

교양(敎養) : 학문, 지식, 사회생활을 바탕으로 이루어지는 품위.

다. 카테리나와 결혼하겠다고 찾아오는 남자가 한 명도 없었기 때문이다. 큰딸 카테리나는 파도바에서 소문난 말괄량이인 데다 성격까지 고약해 신붓감으로는 다들 꺼렸다. 밥티스타는 아무리 비앙카를 찾아오는 청혼자들이 많아도 큰딸 카테리나부터 시집보낼 생각이었다.

밥티스타가 시름에 잠긴 사이, 주변을 어슬렁거리던 두 남자가 가까이 다가왔다. 한 명은 키도 크고 잘생긴 청년이었고, 다른 한 명은 나이 든 중년 신사였다.

"비앙카 양, 나와 결혼해 주세요."

잘생긴 청년이 비앙카 앞에 무릎을 꿇으며 말했다.

"아, 오르텐시오, 오늘도 오셨군요."

비앙카가 난처한 얼굴로 말했다.

"비앙카 양, 오르텐시오보다는 내가 낫지 않소?"

이에 뒤질세라 중년 신사도 정중하게 물었다.

"그레미오, 정말 곤란한 질문이에요."

비앙카는 두 남자를 보며 고개를 저었다.

오르텐시오와 그레미오는 틈만 나면 비앙카를 쫓다

넜다. 그리고 매일같이 찾아와서 비앙카와 결혼하게 해 달라고 밥티스타를 졸랐다.

"제발 비앙카 양과 저의 결혼을 허락해 주십시오."

오르텐시오가 밥티스타에게 간절히 애원했다.

"이런 찰거머리 같은 사람들을 보았나. 이제 그만 졸라 대게. 이미 여러 번 내 결심을 말했네. 큰딸을 시집보내기 전에는 비앙카를 결혼시키지 않을 생각이야."

밥티스타는 한심하다는 듯 한숨을 내쉬었다. 그러자 중년 신사 그레미오가 나서며 말했다.

"비앙카 양한테는 저만큼 어울리는 신랑도 없습니다. 저는 돈도 많으니 비앙카 양을 행복하게 해 줄 수 있어요."

"비앙카와 결혼하기에는 자네 나이가 너무 많아! 어서 썩 꺼지게!"

밥티스타는 그레미오에게 호통을 쳤다. 하지만 그레미오는 물러날 생각이 전혀 없어 보였다.

"제발 그만 좀 괴롭히게! 언니가 있는데 동생부터 시집 보낼 수는 없다고 몇 번이나 얘기했나?"

밥티스타는 위엄 있는 목소리로 말했다.

"그야 그렇지요. 그럼 카테리나 양을 빨리 시집보내면 되잖아요."

오르텐시오가 머리를 긁적이며 말했다.

"맞아요. 그러면 문제가 간단하겠군요."

그레미오도 끼어들며 말했다.

카테리나는 청혼자가 없어서 탈이고, 비앙카는 넘쳐서 탈이네.

"좋은 생각이군그래. 둘 중에서 카테리나가 마음에 드는 사람은 없나? 누구라도 카테리나를 좋아한다면 당장이라도 결혼시키겠네."

밥티스타가 두 사람의 얼굴을 번갈아 돌아보며 물었다.

"비앙카 양이 아니라 카테리나 양과 결혼하라고요?"

오르텐시오가 눈을 휘둥그렇게 떴다. 그레미오도 카테리나를 흘끔 쳐다보고는 한 발짝 뒤로 물러섰다.

"아버지, 제발 그만두세요. 더 이상 이런 바보 같은 사람들 앞에서 저를 웃음거리로 만들지 마세요."

곁에서 이 모습을 지켜보던 카테리나가 소리를 버럭 질

렀다. 카테리나는 두 남자와 눈이 마주치자 큰 소리로 콧방귀를 뀌었다.

그레미오가 움찔하며 말했다.

"저것 보십시오! 저는 카테리나 양 같은 말괄량이 아가씨와는 결혼할 자신이 없습니다."

오르텐시오도 손사래를 치며 물러섰다.

"봐요. 정말 형편없는 사람들이에요!"

카테리나가 소리를 꽥 질렀다.

"이런, 무슨 말버릇이 그래요? 상냥하게 굴지 않으면 평생 시집을 못 갈 거예요."

얼굴이 벌게진 오르텐시오가 펄쩍 뛰며 말했다.

"누가 당신보고 걱정해 달랬어요? 난 결혼하고 싶은 생각은 털끝만큼도 없어요. 만일 내가 당신한테 시집간다면 그날로 당신 머리카락을 몽땅 쥐어뜯어 놓겠어요."

"휴, 마귀할멈이 따로 없군. 시집가고 싶거든 그 말버릇부터 고치도록 해요!"

오르텐시오도 화를 참지 못하고 소리를 버럭 질렀다.

이렇게 고래고래 소리를 지르는데, 남자들이 무서워서 청혼을 하겠어?

그 말에 카테리나는 야생마처럼 고래고래 소리를 지르며 날뛰었다.

숲 속에서 그 광경을 지켜보던 트라니오가 얼떨떨한 표정으로 말했다.

"도련님, 이거 정말 재미있는 구경거리네요. 저런 말괄량이 아가씨는 내 평생 처음 봐요."

루첸티오는 꿈꾸듯 넋을 잃고 말했다.

"트라니오, 말괄량이 아가씨 옆에 있는 비앙카 양을 봐. 마치 천사 같지 않아? 난 비앙카 양에게 한눈에 반해 버렸어."

"휴, 제가 보기에도 그래 보이네요."

트라니오는 철없는 주인의 사랑 타령에 비꼬듯 말하고 고개를 절레절레 흔들었다.

미친 듯 날뛰던 카테리나가 제풀에 꺾여 조용해지자 밥티스타가 달래듯 비앙카에게 말했다.

"비앙카, 너 먼저 집으로 들어가렴. 이 사람들 때문에 산책도 제대로 할 수가 없구나."

"알겠어요, 아버지. 집에서 책이나 읽어야겠어요. 아니면 악기를 연주하는 것도 괜찮겠네요. 평생 그렇게 집 안에 갇혀 사는 게 제 운명이라면요."

비앙카는 서운한 표정을 지으며 쓸쓸히 집으로 돌아갔다. 비앙카가 멀어져 가자 두 남자가 거세게 항의했다.

"이렇게 화창한 날에 아리따운 아가씨 혼자 집을 지켜야 한다는 건 불공평不公平한 일이에요."

밥티스타는 딱하다는 듯 두 사람을 바라보며 말했다.

"조용히들 하게. 이게 다 자네들 때문이네. 비앙카를 위해 자네 두 사람에게 부탁을 좀 하겠네."

"어떤 부탁입니까?"

오르텐시오와 그레미오가 동시에 물었다.

"비앙카는 음악과 시를 무척 좋아한다네. 그래서 가정교사를 둘 생각이야."

불공평(不公平) : 한쪽으로 치우쳐 고르지 못함.

"가정 교사를 둔다고요?"

그레미오가 침을 꿀꺽 삼키며 되물었다.

"그렇네. 좋은 가정 교사가 있거든 소개해 주게. 능력 있는 사람이라면 돈은 얼마든지 주겠다고 하게. 돈 같은 건 아끼지 않을 생각이니까."

"걱정 마십시오. 비앙카 양을 위하는 일이라면 당연히 해야지요. 가정 교사를 꼭 구해 오겠습니다."

그레미오가 자신만만하게 말했다.

"저야말로 좋은 가정 교사를 알고 있으니 곧 데려오겠습니다."

오르텐시오도 지지 않으려는 듯 말했다.

"고맙네. 난 비앙카한테 할 말이 있어서 먼저 들어가 봐야겠네. 카테리나, 너는 이분들과 산책이나 더 하렴."

"이런 바보들과 산책을 하라고요? 저는 싫어요!"

카테리나는 손을 휘휘 내젓고는 아버지의 뒤를 따라 집으로 향했다.

밥티스타와 카테리나가 사라지자 오르텐시오와 그레

미오는 카테리나의 흉을 보기 시작했다.

"어휴, 정말 고약한 여자야."

그레미오의 말에 오르텐시오가 맞장구를 쳤다

"그러게 말입니다. 저런 여자는 딱 질색이에요."

"그건 그렇고 나는 가정 교사를 구하러 가야겠네. 나의
비앙카 양을 위해서 말이야."

그레미오가 바쁘다는 듯 걸음을 옮기자 오르텐시오도
발걸음을 떼며 말했다.

"저도 그럴 생각입니다."

앞서 가던 그레미오가 우뚝 멈추어 서더니 말했다.

"이보게, 우리 이럴 게 아니라 서로 돕는 게 어떤가?"

"서로 돕자고요?"

"그래, 쓸데없는 경쟁競爭을 하느라 둘 다 손해를 볼 수
도 있잖은가. 우선 장애물부터 치우세. 카테리나 양에게
신랑감을 먼저 구해 주는 거지."

경쟁(競爭) : 같은 목적에 대하여 이기거나 앞서려고 서로 겨룸.

"누가 그 고약한 말괄량이에게 장가를 들겠어요?"

"글쎄, 밥티스타 씨는 부자니까 말괄량이 딸 카테리나만 데려간다면 사위에게 큰 재산을 떼어 줄 거야."

"카테리나 양에게 장가드는 것은 지옥행이나 마찬가지예요. 제정신이라면 아무도 나서지 않을 거예요."

오르텐시오의 말에 그레미오는 고개를 흔들었다.

"우리는 그 말괄량이를 감당할 수 없지만, 세상에는 배짱 두둑한 건달들도 있네. 어쨌든 찾아보세. 그럼 비앙카 양도 자유롭게 결혼할 수 있을 테니까. 우리는 그때 다시 경쟁해도 늦지 않아."

그제야 오르텐시오는 고개를 끄덕였다.

"찬성입니다, 그레미오 씨. 저도 당장 가서 카테리나 양의 신랑감부터 찾아보겠습니다."

두 사람은 악수를 하고 광장을 빠져나갔다.

2장
사랑에 빠진 루첸티오

두 남자가 사라지자 루첸티오와 하인 트라니오가 숲에서 광장으로 나왔다. 루첸티오는 옷에 묻은 나뭇잎을 털어 낼 생각도 하지 않고 멍한 표정으로 중얼거렸다.

"비앙카 양에게 반하고 말았어."

루첸티오는 넋을 잃은 표정으로 비앙카가 돌아간 집 쪽을 바라보았다. 트라니오가 한숨을 내쉬며 말했다.

"아이고, 도련님! 정신 차리세요."

"트라니오, 우리는 비밀이 없으니 솔직히 고백_{告白}할게.

고백(告白) : 마음속에 생각하거나 감추어 둔 것을 사실대로 숨김없이 말함.

비앙카 양의 사랑을 얻지 못하는 날에는 내 가슴이 까맣게 타 버리고 말 거야. 그러니 제발 나를 도와줘."

루첸티오는 꿈속을 헤매는 듯했다.

"아, 나의 비앙카! 당신이 피사에 살았다면 오래전에 내 마음을 빼앗았을 거요. 그대의 두 눈은 빛나는 별과 같고, 입술은 산호처럼 붉지요. 당신한테서 뿜어져 나오는 달콤한 향기에 난 취하고 말았다오."

피사는 이탈리아 토스카나 주에 있는 항구 도시야. '피사의 사탑'으로 유명한 곳이지.

트라니오는 꿈속을 거닐고 있는 젊은 주인을 깨우며 말했다.

"도련님, 정말 큰일이군요. 그 아가씨를 정말로 사랑한다면 당장 그 마음부터 사로잡아야지요. 이렇게 꿈만 꾸고 있을 게 아니라요."

트라니오의 말에 루첸티오가 트라니오의 손을 잡고 사정했다.

"트라니오, 무슨 좋은 방법이 없을까? 자네는 똑똑하니까 나를 도울 방법을 알고 있겠지?"

"도련님, 아까 그 늙은 신사가 큰딸을 먼저 시집보낸 뒤 동생을 시집보낸다고 했잖아요. 언니가 시집가기 전까지 그 아가씨는 청혼자들을 피해 불쌍하게도 집 안에 갇혀 지낼 수밖에 없지요."

"참, 지독한 아버지야."

"그래요. 아까 비앙카 양의 아버지가 가정 교사를 구한다고 한 이야기도 기억하시죠?"

"암, 기억하고말고."

"바로 그겁니다, 도련님."

트라니오의 말에 루첸티오가 눈치를 채고 말했다.

"아하! 무슨 방법인지 알겠어. 그런 방법이 있었구나. 트라니오, 넌 역시 똑똑해."

"좋은 방법이긴 한데, 설마 도련님이 직접 비앙카 양의 가정 교사 노릇을 하실 건 아니겠죠?"

"당연히 내가 해야지."

그러자 트라니오가 펄쩍 뛰었다.

"말도 안 돼요. 그러면 도련님 역할은 누가 하지요? 도

런님은 빈첸티오 나리의 아들로서 해야 할 일이 있어요. 이곳 파도바에서 새로 얻은 집을 돌보고, 하인들을 관리해야 해요. 그뿐인가요? 책을 읽으며 공부도 하고, 친구나 친척들도 초대해야 하지요. 이런 많은 일들을 도련님 대신 누가 한단 말입니까?"

"트라니오 네가 하면 되지."

루첸티오는 태연하게 말했다.

"네? 제가요?"

트라니오는 깜짝 놀랐다.

"그래. 여기서는 아무도 우리 얼굴을 모르잖아. 누가 주인이고 누가 하인인지 알게 뭐야."

피렌체는 옛 유적이 많이 남아 있는 이탈리아 중부의 유명한 도시야.

"말도 안 돼요, 도련님!"

"괜찮다니까. 네가 주인 행세를 해. 집도 얻고, 주인처럼 하인도 거느리는 거야. 그 대신 나는 완전히 다른 사람이 되는 거지. 피렌체나 나폴리 출신의 가난한 가정 교사면 좋겠지?"

루첸티오는 신이 나서 말했다. 충직忠直한 트라니오는
한숨을 내쉬며 고개를 끄덕였다.

"도련님이 그러라고 하시면 따를 수밖에 없지요. 피사
를 떠나올 때 빈첸티오 나리께서도 루첸티오 도련님의 시
중을 잘 들어야 한다고 여러 번 당부하셨으니까요."

루첸티오는 트라니오를 숲으로 다급히 이끌었다.

"트라니오, 얼른 옷을 바꿔 입자. 그래야 파도바 사람
들을 감쪽같이 속일 게 아니냐."

"휴, 하는 수 없군요."

"고맙다, 트라니오."

루첸티오와 하인 트라니오는 숲 속으로 들어가 서로 옷
을 바꿔 입었다. 그런 뒤 주인과 하인이 뒤바뀐 모습으로
광장으로 다시 나왔다. 이젠 주인 루첸티오가 된 트라니
오가 말했다.

"아무튼 저는 도련님의 지시에 무조건 따른 것뿐입니

충직(忠直) : 충성스럽고 정직함.

사랑하는 사람의 마음을 얻기 위해서는 뭔들 못 하겠어?

다. 소중한 도련님을 위해서라면 기꺼이 루첸티오가 될 수 있답니다."

"나도 비앙카 양을 얻기 위해서라면 하인이든 노예든 뭐가 되어도 좋다. 첫눈에 눈이 멀어 사랑의 포로가 되었으니까."

바로 그때, 집을 구하러 갔던 하인 비온델로가 두 사람을 발견하고는 곧장 뛰어왔다.

"비온델로, 왜 이렇게 늦었느냐? 우리가 살 집은 구했느냐?"

"네, 아주 근사한 집을 구했어요. 그런데 이게 어찌 된 일인지 여쭤 봐도 될까요?"

비온델로가 두 사람을 번갈아 보며 물었다.

"어찌 된 일이냐니?"

루첸티오가 웃으며 되물었다.

"도련님, 트라니오가 도련님의 옷을 함부로 훔쳐 입은 건가요? 아니면 도련님이 저 녀석의 옷을 일부러 입으신

건가요? 이게 도대체 무슨 일입니까?"

비온델로가 어리둥절한 표정으로 묻자 루첸티오가 웃으면서 대답했다.

"비온델로, 놀랄 것 없다! 트라니오는 지금 내 목숨을 구하기 위해 내 행세를 하는 것뿐이야. 그러니 너도 나를 도와주면 좋겠구나."

"아니, 어떤 놈이 도련님을 위협한단 말입니까? 어떤 놈입니까? 누구든 제가 혼을 내 주겠습니다!"

비온델로가 잔뜩 흥분을 하며 말했다.

"비온델로, 그렇게까지 흥분할 건 없어. 실은 남자가 아니라 매우 아리따운 아가씨니까."

트라니오의 말에 비온델로는 더욱 어리둥절해했다.

루첸티오가 비온델로에게 말했다.

"뭐, 차츰 알게 될 테니 그냥 내 말대로 따르기만 해. 일단 너는 지금부터 트라니오의 하인이 돼야 해."

"도련님, 그건 또 무슨 말씀이십니까? 저더러 트라니오의 하인이 되라고요?"

비온델로는 몹시 불쾌한 표정으로 투덜거렸다.

"비온델로, 너는 도련님이 시키시는 대로만 하면 돼."

트라니오도 옆에서 루첸티오의 말을 거들었다.

"트라니오, 그러니까 네가 내 주인이라고?"

"그래. 내가 이제부터 너의 주인이 되는 거지. 넌 나를 루첸티오 도련님이라고 불러야 해."

트라니오의 말에 비온델로가 루첸티오를 돌아보며 불평을 했다.

"도련님, 이건 너무 불공평합니다."

그러자 트라니오가 제법 진지한 목소리로 말했다.

"비온델로, 이건 나를 위해서가 아니라 도련님을 위해서야. 그래야 도련님께서 밥티스타 씨의 둘째 딸을 얻게 될 테니까. 그러니 사람들 앞에서 들키지 않도록 조심해. 단둘이 있을 때는 트라니오지만 사람들과 있을 때는 내가 네 주인 루첸티오 도련님이라는 걸 명심하라고."

"미안하다, 비온델로. 나를 위해 수고 좀 해 다오."

루첸티오는 달래듯 비온델로의 어깨를 다정하게 두드

리며 말했다. 그런 뒤 트라니오를 돌아보며 일렀다.

"트라니오, 너는 루첸티오 행세를 하면서 한 가지 더 할 일이 있다. 다른 구혼자求婚者들처럼 비앙카 양을 쫓아다니며 청혼을 하도록 해."

이번에는 트라니오가 어리둥절한 표정을 지었다.

"그건 또 왜요? 굳이 그럴 필요가 있나요?"

"이유는 나중에 말해 줄 테니 시키는 대로 해."

"알았습니다, 도련님."

트라니오는 공손하게 대답했다. 루첸티오는 비온델로를 돌아보며 한결 여유로운 모습으로 말했다.

"자, 비온델로, 이제 집으로 가서 푹 쉬어야겠다."

"아, 도련님, 멋진 집을 구했으니, 저를 따라오십시오."

비온델로가 앞장서서 광장을 가로질러 갔고, 루첸티오와 트라니오는 그 뒤를 따랐다.

구혼자(求婚者) : 결혼을 청하는 사람.

3장
베로나의 소문난 괴짜

이탈리아 파도바의 북쪽에는 베로나라는 작은 도시가 있었다. 그곳에는 성질이 괴팍하고 제멋대로이기로 소문난 페트루키오라는 남자가 살았다. 페트루키오의 아버지는 세상을 떠나면서 아들에게 많은 유산을 물려주었다.

페트루키오는 키가 크고 목소리가 우렁찼다. 늘 말을 타고 돌아다녀서 피부는 건강하게 그을려 있었다. 하지만 성격이 불같아서 사소한 일에도 쉽게 화를 내고 흥분을 잘 했다. 게다가 한번 마음먹은 일은 꼭 해내고야 마는 고집불통이었다.

사람들은 페트루키오를 보고 이상하고 괴팍한 신사라

고 수군댔다. 그렇지만 페트루키오는 그런 말에 조금도 신경 쓰지 않았다.

그러던 어느 날, 말을 타고 들판을 달리던 페트루키오는 문득 베로나를 떠나 더 넓은 세상으로 여행을 떠나고 싶어졌다.

"이렇게 좁은 마을에 평생 갇혀 살 수는 없어. 잠시 여행을 다녀와야겠다. 여행을 하는 동안 좋은 신붓감까지 구해 온다면 더 이상 바랄 게 없겠지?"

페트루키오는 말머리를 돌려 급히 집으로 향했다.

"그루미오!"

집에 도착한 페트루키오는 큰 소리로 하인을 불렀다. 헛간에서 곤하게 낮잠을 자고 있던 그루미오가 깜짝 놀라 뛰어나왔다.

"그루미오, 꾸물거리지 말고 어서 여행 준비를 해라."

"네? 여, 여행이라고요?"

잠이 덜 깬 그루미오가 눈을 비비며 물었다.

"잔말 말고 어서 준비나 해!"

"도대체 누가 어디로 여행을 간단 말입니까?"

그루미오가 여전히 모르겠다는 표정을 짓자, 페트루키오가 말에서 뛰어내리더니 그루미오를 발로 걸어차며 소리쳤다.

"이런 게으름뱅이 같으니라고! 빨리 움직이지 못해? 너를 기다리다가는 오늘 해가 다 지겠구나."

페트루키오의 급한 성격은 아무도 못 말렸다.

"어이쿠, 잘못했습니다, 주인님!"

그루미오는 그제야 부랴부랴 짐을 챙기기 시작했다. 그러는 동안에도 페트루키오는 꾸물거린다며 발로 계속 그루미오를 걸어찼다.

"다 됐습니다, 주인님!"

그루미오가 진땀을 닦으며 말하자, 페트루키오는 곧장 말 위에 올라 소리쳤다.

"자, 출발出發이다!"

출발(出發) : 목적지를 향하여 나아감.

그루미오도 허겁지겁 말 위에 올라 어디로 가는지도 모르고 주인을 쫓아갔다.

페트루키오는 말을 달리며 곰곰이 생각했다.

'그런데 어디부터 가지? 아하, 함께 피렌체에서 공부했던 오르텐시오를 찾아가자.'

오르텐시오가 사는 파도바로 방향이 정해지자 페트루키오는 채찍을 휘두르며 더 힘차게 말을 몰았다.

파도바에 도착한 페트루키오는 친구 오르텐시오의 집을 찾은 뒤 말에서 내렸다.

"그루미오, 두들겨 봐라."

페트루키오의 말에 그루미오는 멍청한 표정으로 물었다.

"주인님, 누굴 두들기라는 말입니까?"

"이런 멍청이! 쾅쾅 두들기란 말이다."

페트루키오는 답답하다는 듯 자신의 가슴팍을 두들겼다.

"주인님 가슴팍을 말입니까? 어이쿠, 제가 어

그루미오한테 이야기할 때는 좀 더 쉽게 설명해야 할 것 같아.

떻게 주인님을 때립니까?"

그루미오가 난처한 표정으로 말했다.

"이 멍청한 녀석! 한 대 맞아야 정신을 차릴 테냐? 여기 이 문을 두들기란 말이다! 더 이상 딴청을 피우면 네 머리통을 부숴 버릴 테다."

"주인님, 저는 억울해요. 주인님께서 먼저 가슴팍을 때려 달라고 해 놓고서는 이제 와서 왜 제 머리통을 때리신다는 거예요?"

"그루미오, 네가 귀를 왜 달고 다니는지 모르겠구나."

화가 머리끝까지 치솟은 페트루키오는 그루미오의 한쪽 귀를 잡고 힘껏 비틀었다.

"아이고, 불쌍한 그루미오 죽네, 사람 살려!"

그루미오가 고래고래 비명을 질렀다.

"잘됐구나. 네 비명으로 문 두드리는 걸 대신하렴!"

페트루키오는 씩씩거리며 그루미오의 귀를 더 세게 비틀었다.

"어? 이게 웬 비명 소리지?"

마침 집에 있던 오르텐시오는 이상한 비명 소리에 놀라 급히 현관으로 뛰어나왔다.

"아니, 페트루키오잖아? 페트루키오, 이거 정말 오랜만이군!"

오르텐시오는 활짝 웃으며 옛 친구를 맞았다. 오르텐시오가 문밖으로 나온 줄도 모르고 페트루키오는 여전히 그루미오의 귀를 비틀어 댔다.

"아이고, 주인님, 귀가 떨어져 나가겠어요! 제발 살려 주세요!"

그루미오는 발을 동동 구르며 계속 비명을 질렀다.

"페트루키오! 그동안 잘 지냈나?"

오르텐시오가 다시 이름을 크게 부르자 페트루키오는 그제야 그루미오의 귀를 놓고 뒤를 돌아보았다.

"페트루키오, 하인의 비명 소리로 사람을 부르다니 고약한 성격은 여전하군. 하하하!"

오르텐시오가 큰 소리로 웃었다.

"오르텐시오 나리, 나리가 아니었다면 제 귀는 이미 떨어지고 없을 거예요."

그루미오가 눈물을 글썽이며 말했다. 페트루키오는 여전히 분이 풀리지 않는 표정으로 그루미오의 엉덩이를 발로 걷어찼다.

"대문을 두드리라고 했는데, 말귀를 통 알아듣지를 못하잖아! 자네가 나라도 이렇게 했을 걸세!"

"문을 두드리라고 하셨다고요? 아까는 가슴팍을 두들기라고 하셨잖아요. 이제 와서 문을 두드리라고 했다니, 왜 말을 바꾸시는 거예요?"

그루미오는 억울한지 눈물까지 글썽였다.

"그루미오, 자네 주인이 원래부터 괴팍한 사람이지 않나? 자네가 이해하게. 하하하!"

두 사람의 말을 듣고 오르텐시오는 오랜만에 소리 내어 웃었다. 비앙카 때문에 내내 울적했는데, 두 사람의 소란에 기분이 한결 나아졌다. 오르텐시오는 페트루키오와 그루미오를 집 안으로 안내했다.

"자, 여기서 이럴 게 아니라 어서 안으로 들어가세."

두 사람은 오르텐시오를 따라 집 안으로 들어갔다.

페트루키오와 오르텐시오는 응접실에 앉아 차를 마시며 이런저런 이야기들을 나누었다.

"그나저나 여기까지 어쩐 일인가? 무슨 바람이 불어서 베로나를 떠나 이곳까지 온 거지?"

"넓은 세상에서 행운幸運을 잡고 싶어서지."

"행운을 잡는다고?"

"그래, 여행을 하면서 돈도 벌고, 좋은 아내도 구한다면 좋지 않겠는가? 그런데 자네는 여태 왜 결혼을 하지 않은 거지?"

페트루키오의 질문에 오르텐시오는 한숨부터 푹 내쉬었다.

"그래, 아직 결혼을 못했지. 이게 다 그 말괄량이 아가씨 때문이라네."

오르텐시오는 다시 땅이 꺼져라 한숨을 내쉬었다. 그러

행운(幸運) : 좋은 운수. 또는 행복한 운수.

자 성격 급한 페트루키오가 답답하다는 듯 가슴을 두드리며 물었다.

"말괄량이 아가씨라고? 자네가 말괄량이 아가씨를 사랑하고 있다는 말인가?"

"뭐라고? 천만에! 난 그 아가씨의 동생을 사랑하고 있다네. 내가 결혼하고 싶은 사람은 그 동생이야. 언니 때문에 동생이 결혼도 못하고 있다네. 그 말괄량이 언니는 지독한 왈가닥에다 심술쟁이야. 아버지가 큰 부자라서 지참금도 두둑할 텐데, 결혼하겠다고 나서는 남자가 한 명도 없을 정도야."

지참금 이란 신부가 시집갈 때 친정에서 가지고 가는 돈을 말해.

오르텐시오의 하소연 섞인 말을 듣고 페트루키오가 눈빛을 빛내며 물었다.

"그래? 신랑감으로 나서는 남자가 한 명도 없다는 말이지?"

페트루키오는 오르텐시오가 말한 말괄량이 아가씨에게 호기심이 생겼다.

"오르텐시오, 내가 자네의 고민을 단번에 해결해 줄 테니, 그만 인상을 펴게."

"뭐? 어디 좋은 신랑감이라도 있나?"

오르텐시오가 눈을 동그랗게 뜨며 물었다.

"이보게 친구, 바로 자네 앞에 있지 않은가? 지참금까지 두둑하다니 얼마나 좋은가? 아무리 못생기고 고약한 말괄량이라고 해도 나는 상관없어. 소크라테스의 아내 크산티페만큼 바가지를 긁더라도 괜찮네. 또 그런 아가씨 정도는 되어야 나와도 어울리지 않겠는가? 어차피 여행을 하는 동안 좋은 아내를 구하려고 마음먹었는데, 생각보다 그 기회가 빨리 찾아온 듯하군."

페트루키오가 시원시원하게 말했다.

"진심인가? 자네는 내 친구네. 솔직히 말해서 자네에게 그런 말괄량이 여자를 권하고 싶지는 않아. 물론 페트루키오 자네라면 어떤 말괄량이라도 꼼짝 못하게 할 수 있을 테지만……."

오르텐시오가 망설이며 대답했다.

그러자 옆에서 둘의 대화를 듣고 있던 하인 그루미오가 불쑥 끼어들었다.

"오르텐시오 나리, 지금 제 주인님이 하신 말씀은 모두 진심이랍니다. 돈만 생긴다면, 여자가 난쟁이든 이빨이 몽땅 빠진 할망구든 상관하지 않을 겁니다."

"아무리 그래도 자네는 내 절친한 친구인데, 그럴 수 없지. 그 말괄량이를 자네 신붓감으로 추천할 수 없다네. 그 여자는 자네가 상상하는 것 이상일세. 장가드는 그 순간부터 지옥으로 끌려가는 거나 다름없을 거야. 친구를 그런 구렁텅이로 밀어 넣을 수 없네."

오르텐시오는 고개를 가로저으며 말했다.

페트루키오의 속마음이 뭔지 궁금해. 진짜 지참금 때문일까?

"걱정해 줘서 고맙네. 하지만 나는 돈이 필요하다네. 사실 얼마 전에 아버지가 돌아가셨는데, 유산을 한 푼도 물려받지 못했거든."

페트루키오는 천연덕스럽게 거짓말을 했다.

"그게 정말인가? 그것 참 안됐군그래. 사실 비앙카 양의 언니는 뛰어난 미인이긴 해. 물론 돈도 많고, 교육도 잘 받았지. 단 한 가지, 감당하지 못할 만큼 말괄량이라는 게 큰 단점이야. 성격도 고약하고. 나 같으면 아무리 많은 황금을 준다고 해도 그런 여자와는 결혼하지 않겠지만 자네 형편이 그리 딱하다고 하니……."

오르텐시오가 페트루키오를 동정하며 말했다.

"자네는 아직 황금의 힘을 잘 모르는군그래. 나는 지참금만 많이 주면 어떤 신부든 상관없어."

페트루키오는 아랑곳하지 않고 씩씩하게 말했다.

"좋아, 그럼 내가 추진해 보겠네."

"고맙네, 오르텐시오. 지금 당장 그 집으로 가세."

"지금 당장 가자고?"

"그래, 내 마음이 결정됐는데, 시간을 끌 이유가 뭐 있겠나? 그 말괄량이 아가씨를 만나 보기 전에는 오늘 밤 잠을 잘 수 없을 것 같네. 어서 안내하게."

페트루키오가 당장 뛰쳐나갈 듯한 기세로 말했다.

"오르텐시오 나리, 우리 주인님의 마음이 바뀌기 전에 얼른 안내해 주시지요."

하인 그루미오도 거들었다.

오르텐시오는 친구가 얼마나 불같은 성격인지를 잘 알았기 때문에 어쩔 수 없이 자리에서 일어섰다. 솔직히 오르텐시오로서는 페트루키오가 더할 수 없이 반가웠다. 페트루키오가 카테리나와 결혼만 한다면 비앙카와 자신의 결혼이 쉬워질 거라고 생각했기 때문이다.

"좋아, 안내하겠네. 참, 그 아가씨의 아버지는 밥티스타 미놀라라는 점잖은 신사라네."

"밥티스타 미놀라? 그분이라면 돌아가신 아버지와 잘 아는 사이였다네. 이거 더 잘됐군. 그 말괄량이 딸의 이름은 뭔가?"

"카테리나 미놀라야."

페트루키오는 이미 결혼 승낙을 받기나 한 것처럼 신이 나서 외쳤다.

"카테리나, 당신의 신랑이 될 이 페트루키오 님이 곧

도착할 테니 기다리시오!"

그쯤 되자 오르텐시오는 속으로 기쁨의 노래를 불렀다.

"페트루키오, 카테리나 양을 만난 다음에 딴말하면 안 되네. 마음을 바꾸지는 않을 거지?"

오르텐시오가 다짐하듯 물었다.

"걱정 마. 내 결심은 변하지 않을 걸세."

그때 하인 그루미오가 또 끼어들었다.

"오르텐시오 님, 조금도 염려 마십시오. 그 댁 따님이 악당이니 뭐니 아무리 심한 욕설을 퍼부어 대도, 우리 주인님 고함 소리 한 번이면 쏙 들어갈 겁니다. 말대꾸가 다 뭡니까? 놀라서 고양이처럼 눈이 튀어나올 거예요. 주인님이 온갖 욕설을 퍼부어 댈 테니까요. 주인님 성품을 잘 아시잖아요. 그 아가씨의 입과 행동이 아무 거칠어도 우리 주인님을 따라올 수는 없을 겁니다."

"그루미오, 쓸데없는 말은 집어치우고 따라오기나 해."

성품(性品) : 사람의 성질이나 됨됨이.

현관 쪽으로 걸음을 옮기던 페트루키오가 그루미오를 야단치며 말했다. 오르텐시오는 페트루키오를 다급히 불렀다.

"페트루키오, 잠깐만 기다려 주게. 가기 전에 자네에게 한 가지 들려줄 얘기가 있네. 아까도 말했다시피 그 집에는 내 보물이 있네. 내 목숨보다 소중한 비앙카 양이지. 정말 얼굴뿐만 아니라 마음까지 눈부실 정도로 아름다운 아가씨라네."

"그 동생한테 단단히 빠졌군. 그래, 청혼은 했나?"

"물론이지. 매일 찾아가서 구혼을 한다네. 하지만 문제는 밥티스타 씨가 청혼자들을 얼씬도 못하게 한다는 거야. 말괄량이 큰딸을 시집보내기 전에는 아무도 비앙카 양에게 접근하지 못하게 하고 있어."

"자네가 왜 밥티스타 씨 큰딸의 결혼에 대해 그렇게 고민했는지 알겠군."

"자네한테는 미안하네, 페트루키오."

오르텐시오는 다시 한숨을 내쉬었다.

"아니야. 이게 다 나한테도 좋은 일 아닌가."

"정말 고맙네, 페트루키오."

"감사해야 할 사람은 오히려 나일세. 잘만 하면 아내도 얻고 많은 지참금도 챙길 수 있잖나."

페트루키오는 의욕意欲이 넘쳤다. 오르텐시오가 어떤 얘기를 해도 더 이상 귀에 들어가지 않을 것 같았다.

오르텐시오는 곧장 현관으로 따라나서지 않고, 이것저것 챙기기 바빴다.

"페트루키오, 자네에게 한 가지 부탁이 있네. 나는 변장을 하고 그 집을 찾아갈 거야. 그러니 좀 도와주게."

"변장을 하고 찾아간다고? 그건 또 무슨 뜻딴지 같은 소리지?"

페트루키오가 놀란 얼굴로 물었다.

"자네가 나를 비앙카 양의 가정 교사로 추천해 주게."

"가정 교사라고?"

의욕(意欲) : 무엇을 하고자 하는 적극적인 마음이나 욕망.

페트루키오가 묻자, 옷가방과 류트를
둘러메고 나온 오르텐시오가 현관문을
나서며 말했다.

류트는 오래된
현악기 중 하나야.
손가락이나 픽으로
퉁겨서 연주한단다.

"밥티스타 씨가 비앙카 양의 음악 교사
를 찾고 있거든. 가정 교사가 된다면
곁에서 마음 놓고 비앙카 양을 만날 수
있고, 마주 앉아서 사랑을 고백할 수 있
을 거야."

오르텐시오의 말에 페트루키오는 껄껄 웃음을 터
뜨렸다.

"정말 재미있군. 그런데 자네 이름은 뭐라고 소개하지?"

"음, 리티오가 어떻겠나?"

"리티오? 좋은 이름이군. 자, 어서 가세, 리티오. 나는
그 말괄량이 카테리나를 한시라도 빨리 만나고 싶네."

"가세, 페트루키오."

오르텐시오와 페트루키오는 씩씩하게 집을 나섰다. 그
루미오는 주인의 뒤를 종종걸음으로 따라갔다.

4장
집 앞에 모인 구혼자들

그레미오도 비앙카의 가정 교사를 구하려고 이곳저곳으로 뛰어다녔다. 하지만 선뜻 가정 교사를 하겠다고 나서는 사람이 없었다.

"밥티스타 씨에게 비앙카 양의 가정 교사를 구해 주고 후한 점수를 받으려고 했는데, 그것도 쉽지 않군그래."

그때, 낯선 청년이 그레미오를 찾아왔다. 다름 아닌 하인 트라니오와 옷을 바꿔 입은 루첸티오였다.

"여기가 그레미오 씨 댁이 맞습니까?"

루첸티오는 최대한 공손하게 머리를 숙여 인사했다.

"내가 바로 그레미오요! 무슨 일로 찾아왔소?"

"가정 교사를 구한다고 해서 찾아왔습니다."

"가정 교사 일을 찾는 거요? 그렇다면 잘 왔소. 당신 이름은 뭐요?"

그레미오는 루첸티오를 훑어보며 물었다. 겉모습이 꽤 반듯해 보여서 내심 만족스러웠다.

"제 이름은 캄비오입니다."

루첸티오는 얼른 가짜 이름을 댔다.

"캄비오라……. 제법 문학가文學家다운 이름이군. 그래, 고향은 어디요?"

"피렌체입니다."

루첸티오는 고향도 전혀 엉뚱한 곳을 댔다. 그레미오는 좀 더 꼼꼼히 루첸티오를 살펴보며 질문을 계속했다.

"뭘 가르치는지 말해 줄 수 있겠소?"

"시입니다."

루첸티오는 미리 가져온 시집을 꺼내 그레미오에게 건

문학가(文學家) : 문학을 창작하거나 연구하는 사람.

네주며 말했다. 시집을 쭉 훑어본 그레미오는 만족스러운 미소를 띠며 말했다.

"선생이 가르칠 학생은 비앙카라는 아름다운 아가씨요. 마침 비앙카 양도 시를 공부하려던 참이니 잘됐소."

시집을 돌려준 그레미오가 품속에서 두루마리를 꺼내 루첸티오에게 건넸다.

"선생, 나중에 이걸 비앙카 양에게 전해 주시오."

루첸티오는 두루마리를 받으며 고개를 갸웃했다.

"도대체 이게 뭡니까?"

"비앙카 양에게 바치는 내 사랑의 시요. 당신이 비앙카 양의 가정 교사를 하면서 종종 내 마음을 전해 주면 좋겠소. 그러면 밥티스타 씨가 주는 수고비보다 더 많은 돈을 챙겨 주겠소."

"그런 일이라면 언제든 환영합니다."

루첸티오는 고분고분 대답하며 두루마리를 가방 속에 넣었다. 그레미오는 한 술 더 떠서 루첸티오의 시집을 가리키며 말했다.

"참, 당신의 시집에 향수를 뿌리는 게 좋겠소. 아름다운 비앙카 양에게는 그게 예의라오."

"아, 그렇군요. 제가 미처 거기까지는 생각하지 못했습니다."

루첸티오는 속으로 허영 많은 그레미오를 비웃으면서도 순순히 대답했다.

"어르신의 시는 비앙카 양에게 잘 전해 드리겠습니다. 어르신이 직접 말하는 것처럼 멋진 말로 전할 테니 걱정 마십시오."

루첸티오는 웃음을 참고 간신히 말했다.

"자, 이제 비앙카 양을 만나러 갑시다."

그레미오는 의기양양하게 루첸티오와 집을 나섰다.

밥티스타의 저택 앞에 도착한 두 사람은 반대쪽에서 오는 다른 구혼자들과 맞닥뜨렸다. 비앙카를 두고 그레미오와 경쟁을 벌이는 오르텐시오와 카테리나에게 청혼하기 위해 찾아온 페트루키오, 그리고 페트루키오의 하인 그루미오였다.

"그레미오 씨, 그간 안녕하셨습니까?"

오르텐시오가 먼저 잔뜩 허세虛勢를 부리며 인사했다.

"오르텐시오, 자네가 여긴 웬일인가?"

그레미오는 달갑지 않은 목소리로 인사했다.

"개인적인 볼일이 있어서 찾아왔습니다. 그런데 그레미오 씨는 웬일입니까?"

"아, 비앙카 양의 가정 교사를 구해서 데려왔네. 실력도 뛰어나고 책도 많이 읽어서 교양이 풍부하다네. 이런 훌륭한 가정 교사를 찾기가 쉽지는 않지. 비앙카 양에게는 시를 가르칠 거야. 밥티스타 씨도 보면 틀림없이 좋아할 거네."

그레미오는 변장한 루첸티오를 한껏 치켜세우며 자신 있게 말했다.

"그래요?"

오르텐시오는 루첸티오를 아래위로 훑어보았다. 그리

허세(虛勢) : 실속이 없이 겉으로만 드러나 보이는 기세.

고 지지 않으려는 듯이 말했다.

"마침 저도 훌륭한 신사 한 분을 만났습니다. 조금 있다가 그분이 평소 알고 지내던 재능 있는 음악가를 소개해 주기로 했지요. 그러니까 비앙카 양을 위하는 일이라면 저도 당신에게 뒤지지 않아요."

오르텐시오는 한껏 거드름을 피우며 말을 덧붙였다.

"그보다 좋은 소식이 있어요. 제 옆에 있는 이 신사가 바로 카테리나 양의 신랑감이거든요. 이 사람이 말괄량이 카테리나 양에게 청혼을 하겠답니다. 어때요? 이렇게 되면 제가 이긴 것이나 다름없지 않나요?"

그레미오는 깜짝 놀라 페트루키오를 훑어보았다.

"정말인가? 이 친구가 카테리나 양의 신랑감이라고?"

오르텐시오는 고개를 끄덕이며 더욱 거들먹거렸다.

"그렇습니다. 이 친구는 사나이 중의 사나이입니다. 밥티스타 씨가 분명히 두 팔 벌려서 환영할 거예요."

"당신이 카테리나 양과 결혼만 해 준다면 나로서도 그보다 고마운 일이 없겠지만……."

그레미오는 여전히 믿어지지 않아 고개를 갸웃했다. 잠자코 둘의 대화를 듣고 있던 페트루키오가 드디어 입을 열었다.

"염려 마십시오. 저는 한번 결심한 일은 꼭 해내는 사람입니다."

"카테리나가 어떤 아가씨인지 알고 하는 말이오? 카테리나 양의 결점에 대해서는 전해 들었소?"

그레미오가 비웃듯 한쪽 입꼬리를 위로 올리며 물었다.

"물론입니다. 세상에 둘도 없는 말괄량이라지요? 하지만 저는 상관없습니다."

페트루키오는 큰 소리로 웃으며 말했다.

카테리나에게 청혼하겠다고 하니, 믿지 못하는 게 당연하지.

그레미오는 페트루키오가 어떤 사람인지 더욱 궁금해졌다. 누구도 나서지 않은 신랑감 자리에 저토록 자신 있게 나선 걸 보면 배짱이 보통은 아닌 듯했다.

"보통 사람들 같으면 겁을 낼 만도 한 일인데……. 나로서는 그런 살쾡이한테 청혼하

려는 당신을 전혀 이해할 수 없지만, 제발 그 마음이 변치 않길 바랄 뿐이오."

그레미오는 의심의 눈초리를 거두지 않았다. 하지만 페트루키오는 어깨를 으쓱했다.

"그 정도가 겁난다면 어떻게 여기까지 왔겠습니까? 저는 으르렁거리는 사자와 맞닥뜨린 적도 있어요. 또 거센 폭풍우가 몰아치는 바다 위를 여행한 적도 있고, 전쟁터에서 죽음 직전에 처한 적도 있어요. 그런 것에 비하면 말괄량이 아내는 아무것도 아닙니다. 그쯤은 식은 죽 먹기예요."

"우리 주인님은 원래 무서운 것이 없으시답니다."

하인 그루미오가 어깨를 으쓱거리며 뽐냈다. 그제야 그레미오도 안심을 하고 말했다.

"어쨌든 잘된 일이오. 당신뿐만 아니라 여기 있는 우리 모두를 위해서라도 당신은 환영받을 만하오."

인사가 끝나자 오르텐시오가 급한 일이 있다는 듯 주위를 둘러보며 말했다.

"저는 중요한 약속이 있어서 먼저 가 보겠습니다."

"무슨 약속인데 그러나?"

페트루키오가 모르는 체하며 물었다.

"아까도 말했다시피 비앙카 양의 가정 교사를 소개 받기로 했네. 그 신사를 만나러 가야 해."

오르텐시오가 눈을 찡긋하며 말했다.

"페트루키오, 한 가지 부탁함세. 나는 바빠서 그 가정 교사를 직접 데려와 밥티스타 씨에게 소개해 줄 수가 없네. 그 사람이 도착하거든 자네가 밥티스타 씨에게 소개 좀 해 주게."

"알았네. 걱정 말게."

두 사람은 미리 짜 놓은 각본대로 사람들 앞에서 연극을 했다.

"고맙네, 페트루키오."

오르텐시오는 인사를 하고 서둘러 사라졌다. 오르텐시오가 사라진 쪽을 바라보

각본이란 연극이나 영화를 만들기 위하여 쓴 글이야. 여기서는 두 사람의 '계획'을 비유적으로 이르는 말이지.

던 그레미오가 중얼거렸다.

"흥, 자신이 없어서 도망가는 게 틀림없어! 아무리 애를 써도 나를 따라올 수는 없지."

그레미오는 페트루키오를 돌아보며 말했다.

"어서 들어갑시다. 당신의 신붓감을 소개해 주겠소."

페트루키오는 정중하게 거절拒絶했다.

"먼저 들어가십시오. 저는 오르텐시오가 보낸 가정 교사가 오면 함께 들어가겠습니다."

"좋을 대로!"

그레미오가 루첸티오를 데리고 대문으로 들어서려는 찰나, 두 명의 청년이 가까이 다가왔다. 루첸티오로 변장한 트라니오와 하인 비온델로였다.

"여러분, 실례합니다. 밥티스타 씨 저택이 어딘지 알려 주시겠습니까?"

가짜 루첸티오인 트라니오가 물었다.

거절(拒絶) : 상대편의 요구, 제안, 선물, 부탁 따위를 받아들이지 않고 물리침.

"그 댁에 예쁜 따님 두 분이 계시다면서요?"

비온델로가 거들며 말했다.

가정 교사로 변장한 진짜 루첸티오는 두 사람을 보고도 전혀 알은체를 하지 않았다. 집 안으로 들어서려던 그레미오가 잔뜩 경계하며 물었다.

"당신도 그분의 따님을 만나러 왔소?"

"물론이지요. 밥티스타 씨와 그분의 따님을 만나러 왔습니다."

트라니오가 태연하게 말했다.

"혹시 말괄량이 카테리나 양을 만나러 왔습니까?"

이번에는 페트루키오가 경계를 하며 물었다.

"천만에요. 저는 말괄량이는 딱 질색입니다. 저는 비앙카 양을 만나러 왔습니다."

트라니오가 싱긋 웃으며 대답했다.

페트루키오는 안심했지만, 그레미오는 금세 불안한 표정이 되었다.

"비앙카 양에게 청혼하려는 거요?"

"맞습니다. 그런데 제가 비앙카 양에게 청혼하면 안 될 이유라도 있습니까?"

트라니오는 품위를 잃지 않으면서 계속 능청을 떨었다. 그레미오는 불쾌한 감정을 숨기지 않았다.

'이런, 골치 아프게 됐군. 오르텐시오 말고 경쟁자가 또 생겼어. 이 녀석은 또 어떻게 물리친담.'

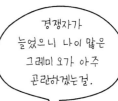

경쟁자가 늘었으니 나이 많은 그레미오가 아주 곤란하겠는걸.

그레미오는 트라니오에게 퉁명스럽게 말했다.

"당장 돌아가시오!"

"돌아가라고요? 참 이상한 분이시군요. 당신이 뭔데 저더러 돌아가라 마라 하는 겁니까?"

트라니오도 인상을 쓰며 대꾸했다.

"당신은 비앙카 양에게 청혼할 수 없소."

그레미오가 손을 휘휘 저으며 트라니오에게 말했다.

"이유가 뭡니까?"

트라니오가 물러서지 않고 따졌다. 그 광경을 보며 루첸티오는 속으로 만족스럽게 웃었다.

'흠, 트라니오 녀석 제법인걸. 진짜 루첸티오 같잖아?'

그레미오는 목소리를 높여 말했다.

"비앙카 양은 내 아내가 될 여자요."

트라니오가 코웃음을 쳤다.

"당신의 아내라고요? 비앙카 양을 모욕_{侮辱}하지 마십시오. 비앙카 양은 아직 누구에게도 결혼을 허락하지 않았습니다. 그런 헛소리를 하려면 당신이나 돌아가십시오."

약이 오른 그레미오는 수염까지 부르르 떨며 억지를 부려 댔다.

"어쨌든 당신은 청혼할 수 없소. 비앙카 양은 내 아내가 될 것이오."

트라니오는 아랑곳하지 않고 자기의 생각을 밝혔다.

"이것 보세요, 당신이 신사라면 제 말을 좀 들어 주세

모욕(侮辱) : 깔보고 욕되게 함.

요. 비앙카 양 같은 미인에게는 원래 구혼자가 많은 법입니다. 그건 세상 어디를 가나 당연한 일이지요. 봐요, 아름다운 비앙카 양에게 구혼자가 한 명쯤 더 늘어난다고 해서 그게 무슨 큰일이겠습니까. 레다의 딸 헬레네에게는 천 명의 구혼자가 있었다잖아요. 그러니 그렇게 매정하게 쫓아내기보다, 당당하게 경쟁하는 게 훨씬 신사답지 않습니까?"

헬레네는 그리스 신화에 나오는 미녀야. 트로이의 왕자 파리스에게 유괴되어 트로이 전쟁의 원인이 되었지.

"멋대로 떠벌리시오. 하지만 비앙카 양은 절대 안 되오."

그레미오가 계속 억지를 부렸다.

"웃기는 소리 하지 마십시오. 이 피사의 루첸티오는 하지 말라면 더 하는 사람입니다."

트라니오도 지지 않고 더 세게 맞받아쳤다. 그쯤 되자 그레미오가 물러서고 말았다.

"휴, 정말 못 당하겠군."

캄비오로 변장한 루첸티오는 한발 물러선 채로 마음속

으로 트라니오를 응원했다.

'트라니오, 잘한다. 그렇게 계속 세게 나가라.'

루첸티오는 다른 사람이 안 보는 틈에 트라니오와 비온델로에게 눈을 찡긋해 보였다.

'쳇, 트라니오 이 녀석, 정말로 루첸티오 도련님처럼 구는걸. 어쨌든 저기 늙은 신사가 얼굴이 벌게져서 방방 뛰는 걸 보니 재미있군.'

비온델로는 트라니오와 그레미오를 번갈아 바라보며 조용히 웃었다.

한편 숲 속으로 들어간 오르텐시오는 가정 교사로 서둘러 변장했다. 변장할 물건들은 미리 나무 덤불 속에 숨겨 두었다.

완벽하게 음악가처럼 변장한 뒤 오르텐시오는 다시 밥티스타의 저택 앞에 나타났다. 그러고는 목소리를 바꿔 사람들에게 큰 소리로 인사했다.

"여러분, 안녕하십니까?"

사람들의 시선이 일제히 오르텐시오에게 향했다. 그레

미오는 반갑지 않은 눈길을 보내며 물었다.

"당신은 또 누구요?"

"저는 오르텐시오라는 분이 보낸 가정 교사입니다. 이름은 리티오이고, 비앙카 양에게 음악을 가르칠 겁니다."

오르텐시오가 우아하게 인사하며 말했다.

"아, 그런가요? 그렇지 않아도 기다리고 있었습니다. 저는 오르텐시오의 친구 페트루키오입니다."

페트루키오는 변장한 오르텐시오를 알아보았지만 일부러 모른 척하고 인사를 나누었다.

"오르텐시오 녀석, 포기抛棄하지 않았나 보군."

그레미오가 인상을 잔뜩 찌푸렸다.

"리티오 선생, 어서 안으로 들어가 인사합시다."

페트루키오는 이렇게 말하며 조금도 망설이지 않고 대문 안으로 성큼성큼 들어섰다.

포기(抛棄) : 하려던 일을 도중에 그만두어 버림.

5장
페트루키오의 청혼

구혼자들이 몰려들자 밥티스타는 놀라움을 감추지 못했다. 카테리나는 응접실에 가득한 구혼자들을 보고 신경이 날카로워졌다.

'흥, 전부 비앙카를 찾아온 남자들이겠지?'

카테리나는 씩씩거리며 비앙카를 찾아 나섰다. 마침 비앙카는 새로 맞춘 옷을 입고 큰 거울에 이리저리 비추어보고 있었다. 아름다운 모습에 만족스러웠는지 콧노래까지 흥얼거렸다.

"비앙카, 네가 일으키는 소동 때문에 머리가 아플 지경이야. 너만 보면 짜증이 나. 아무데도 가지 말고 이 방에 꼼짝 말고 있어."

카테리나는 손에 들고 있던 비단 끈으로 비앙카의 손을 묶어 버렸다.

"언니, 도대체 왜 이러는 거야?"

비앙카는 언니의 심술에 울상을 지었다.

"네가 그걸 모른다는 게 더 화가 나. 남자들이 떼로 몰려왔어. 네가 평소에 얼마나 남자들을 유혹하고 다녔으면 다들 저렇게 청혼하겠다고 몰려오겠니?"

질투 때문에 카테리나는 더 고약하게 심술을 부렸다.

"말도 안 돼. 언니, 나를 모욕하지 마. 내가 남자들을 유혹하지 않은 건 언니가 더 잘 알잖아. 심술 부리지 말고 어서 끈을 풀어 줘. 나는 언니의 인형도 아니고, 노예도 아니야. 정말 너무해. 언니가 하라는 대로 다 할 테니까 어서 끈을 풀어 줘."

"좋아, 그럼 너한테 청혼한 사람들 중에 누구를 좋아하는지 솔직히 말해 봐. 그럼 끈을 풀어 줄게."

"언니, 제발 억지 부리지 말고 끈을 풀어 줘. 그중에 내

가 좋아하는 남자는 없어."

비앙카가 억울해했지만 카테리나는 더 화를 냈다.

"거짓말 마. 오르텐시오를 좋아하지? 그 바람둥이같이 생긴 남자 말이야."

"아니야, 그 사람한테는 관심 없어. 언니가 오르텐시오를 좋아한다면 당장 오르텐시오한테 가서 물어볼게. 언니를 어떻게 생각하느냐고 말이야."

"오르텐시오가 아니라면 그레미오로구나. 돈이 많아서 마음이 끌리는 거니? 돈 자랑만 하고 다니는 늙은이 따위가 좋니? 그 남자와 결혼해서 화려하게 살고 싶은 거야?"

"아니라니까. 장난 그만하고 끈을 풀어 줘."

"장난이라고? 천만에! 너는 오늘 나한테 따끔하게 혼 좀 나 봐야 해."

카테리나가 분을 참지 못하고 회초리로 비앙카를 때렸다. 비앙카는 잘못도 없이 무조건 용서容恕를 빌었다.

용서(容恕) : 지은 죄나 잘못한 일에 대하여 꾸짖거나 벌하지 아니하고 덮어 줌.

"아야, 잘못했어, 언니!"

카테리나가 회초리를 계속 휘두르자 비앙카는 마침내
울음을 터뜨리고 말았다. 울음소리를 듣고 밥티스타가 놀
라서 달려왔다.

"카테리나, 동생한테 이게 무슨 짓이냐?
어서 그만두지 못하겠니?"

밥티스타는 달려가서 회초리를 빼앗고
카테리나를 호되게 야단쳤다.

"어째서 성격이 그 모양이냐. 매일 신경질을
부리는 것도 모자라 가만있는 동생까지 못살
게 굴다니! 그러니까 여태 시집도 못 갔지."

밥티스타의 야단에 카테리나는 입술을 쑥
내밀고 투덜거렸다.

"흥, 아버지는 언제나 비앙카 편만 들어요. 비앙카가
얼마나 앙큼한지 아버지는 몰라요."

밥티스타는 한숨을 푹 내쉬며 비앙카의 손을 묶은 끈을
풀어 주었다. 손목이 빨갛게 부어 있었다.

구혼을 하는
남자가 하나도 없으니
카테리나가 심술이
잔뜩 났구나.

"비앙카, 네가 카테리나 언니를 이해하렴. 어디 다친 데는 없지?"

밥티스타는 애처로운 마음에 비앙카를 잠시 안아서 달래 주었다.

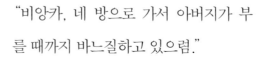

"비앙카, 네 방으로 가서 아버지가 부를 때까지 바느질하고 있으렴."

밥티스타의 말에 비앙카는 눈물을 닦으며 제 방으로 들어갔다.

말괄량이 카테리나도 사실은 아버지에게 비앙카처럼 사랑받고 싶었는지 몰라.

"흥, 비앙카는 아버지의 보물이죠? 아버지는 늘 비앙카만 감싸요. 비앙카한테는 더 좋은 남편을 얻어 주고 싶으실 거예요. 비앙카의 결혼식 날에 노처녀 언니인 저는 맨발로 춤을 추겠지요. 저한테는 어떤 위로도 하지 마세요. 저는 그저 혼자 앉아서 외롭게 울 테니까요."

카테리나는 온갖 고약한 말을 다 내뱉기로 작정한 듯했다. 밥티스타는 고개를 저으며 큰딸의 말을 가로막았다.

"카테리나, 어리석은 소리 하지 마라. 내가 너를 얼마나 걱정하는지 모르겠니?"

"몰라요! 아버지는 언제나 '우리 예쁘고 귀여운 비앙카'라고 하시지요. 그래요, 비앙카밖에 몰라요."

카테리나는 악을 쓰듯 말을 내뱉고 제 방으로 들어가 버렸다. 밥티스타는 머리를 흔들며 언짢은 마음을 애써 누를 수밖에 없었다.

그때 하인이 달려와 손님들이 기다린다고 알렸다. 응접실에 있는 일곱 명의 구혼자들 중 그레미오를 제외하고는 모두 처음 보는 사람들이었다. 페트루키오와 하인 그루미오, 캄비오로 변장한 루첸티오와 리티오로 변장한 오르텐시오, 루첸티오로 변장한 트라니오와 하인 비온델로가 응접실에서 집주인을 기다리고 있었다.

그중 얼굴이 까무잡잡하고 성미가 급해 보이는 남자가 앞으로 나서며 인사했다.

"처음 뵙겠습니다. 저는 페트루키오라고 합니다. 이 댁에 아름답고 지혜로운 카테리나라는 딸이 있다고 들었습니다. 저는 카테리나 양에게 청혼을 하러 왔습니다."

"지금 카테리나라고 했나?"

밥티스타는 깜짝 놀라 되물었다. 페트루키오의 당당한
청혼에 밥티스타는 오히려 자신의 귀를 의심했다.

"네, 카테리나 양을 아내로 맞고 싶습니다."

"그 애를 감당할 자신이 있나? 내 큰딸을 잘 모르는 모
양이군. 자네의 말은 고맙지만……."

"알고 있습니다. 세상에서 둘도 없는 말괄량이 아가씨
라는 것을요. 저는 상관없습니다."

페트루키오는 박력이 넘치게 말했다. 밥티스타는 딸을
시집보내고 싶은 마음이 굴뚝같았지만 그렇다고 거짓말
을 할 수는 없었다. 그래서 숨기지 않고 솔직하게 말했다.

"다시 한 번 신중愼重하게 생각해 보게. 카테리나는 솔
직히 좋은 신붓감은 아니라네."

"제가 사윗감으로 마음에 드시지 않나 보군요."

신중(愼重) : 매우 조심스러움.

페트루키오의 말에 밥티스타는 손까지 내저으며 변명했다.

"젊은 양반, 오해하지 말게. 나는 사실대로 말했을 뿐이네. 나중에 후회할 일 만들지 말고 다시 생각해 보게."

"저는 이미 카테리나 양과 결혼하기로 마음을 굳혔습니다."

페트루키오의 결심은 확고했다. 밥티스타는 페트루키오를 위아래로 자세히 살폈다.

"자네 고향이 어디인가?"

"베로나입니다. 제 아버지의 성함은 안토니오입니다."

"안토니오라고? 그 친구라면 나도 잘 알지. 그래, 아버지는 잘 지내시나?"

"안타깝게도 얼마 전에 돌아가셨습니다."

"정말 안됐군."

밥티스타는 진심으로 안타까워했다.

페트루키오는 자기소개가 끝나자 이번에

베로나는
이탈리아 북쪽 밀라노와
베네치아 사이에 있는
도시야.

는 가정 교사로 변장한 오르텐시오를 밥티스타에게 인사
시켰다.

"밥티스타 씨, 제 친구 오르텐시오가 따님을 위해 가정
교사를 구해서 보냈습니다."

"생각보다 빨리 구했군. 잘 왔소."

페트루키오의 말에 밥티스타는 활짝 웃으며 오르텐시
오를 반겼다. 오르텐시오는 교양이 넘치는 가정 교사답게
밥티스타에게 최대한 공손하게 인사했다.

밥티스타가 오르텐시오에게 물었다.

"그래, 선생은 성함이 어떻게 되시오?"

"네, 리티오라고 합니다. 전공은 음악입니다."

변장한 오르텐시오가 천연덕스럽게 말했다.

"잘됐군. 첫날이라 미안하지만 지금 바로 내 딸에게 음
악을 가르쳐 줄 수 있겠소? 그 애는 당장 마음을 진정시
킬 필요가 있다오."

밥티스타는 하인을 불러 말했다.

"음악 선생님을 큰아가씨 방으로 모셔다 드려라."

오르텐시오는 그 말을 듣고 눈앞이 캄캄해졌다. 비앙카를 만날 줄 알았는데, 고약한 카테리나부터 만나게 된 것이다. 하지만 아무 말도 못 하고 하인의 뒤를 따라갈 수밖에 없었다.

오르텐시오가 사라지자 그레미오가 나서며 말했다.

"밥티스타 씨, 저는 더 좋은 선물을 준비해 왔습니다. 이 분은 비앙카 양에게 시를 가르칠 가정 교사입니다. 라틴 어와 그리스 어에 능통할 뿐 아니라 프랑스에서 오래 공부했고, 음악과 수학에 대한 교양도 풍부합니다."

그레미오의 말이 끝나자 가정 교사로 변장한 루첸티오가 앞으로 나왔다.

"제 이름은 캄비오라고 합니다."

"캄비오 선생, 잘 왔소. 내 딸 비앙카를 잘 부탁하오."

"네, 기쁜 마음으로 가르쳐 드리겠습니다."

밥티스타는 다른 하인을 불러 말했다.

"이 분을 비앙카에게 안내해 드려라."

루첸티오는 허리 굽혀 인사한 뒤, 하인을 따라 비앙카

의 방으로 향했다.

"당신은 무슨 일로 오셨소?"

밥티스타가 이번에는 루첸티오로 변장한 트라니오를
돌아보며 물었다.

"안녕하십니까? 저는 피사에서 온 루첸티오입니다. 제
아버지 성함은 빈첸티오 벤티보리오입니다. 저는 아름다
운 비앙카 양에게 청혼하러 왔습니다."

트라니오가 능청스럽게 말했다.

"반갑소. 벤티보리오 가문이라면 이탈리아에서 모르는
사람이 없지. 잘 왔소."

밥티스타는 트라니오를 반갑게 맞았다. 그런 뒤 활짝
웃으며 그곳에 있는 사람들에게 말했다.

"자, 모두 저녁을 들고 가십시오. 식사를 준비하는 동
안 정원을 구경시켜 드리겠습니다."

밥티스타는 사람들을 데리고 정원으로 나갔다. 페트루
키오가 밥티스타의 곁에서 걸으며 말했다.

"밥티스타 씨, 저는 오늘 결혼 승낙을 받고 싶습니다."

"결혼은 중요한 문제니 좀 더 깊이 생각해 보게. 카테리나는 좀 특별하다네."

"좋은 아내로 만들 자신 있습니다. 두고 보세요. 이탈리아에서 제일 훌륭한 아내로 만들 테니까요. 제게는 아버지에게 물려받은 유산도 있으니 카테리나 양도 저를 마다하지 않을 것입니다. 따님과 결혼하면 지참금은 얼마나 주시겠습니까?"

밥티스타는 페트루키오가 생각보다 성격이 급하고 엉뚱한 청년이라고 생각했다.

"자네가 내 딸의 사랑을 얻어 결혼한다면 내 땅의 절반과 2만 크라운을 주지."

"문제없습니다. 따님이 아무리 고집이 세도 저를 당해 낼 수는 없을 겁니다. 따님이 저한테 무릎을 꿇고 결혼해 달라고 할 테니 두고 보십시오."

페트루키오는 큰소리쳤다.

크라운은 영국의 화폐야. 왕관 모양을 박은 5실링짜리 은화란다.

6장
말괄량이 아가씨와 괴짜 신사의 만남

밥티스타와 손님들은 정원을 한가로이 거닐며 구경했다. 그때 리티오로 변장한 오르텐시오가 창백한 얼굴로 뛰어왔다.

"도와주세요!"

오르텐시오는 헝클어진 머리 위에 박살 난 류트를 뒤집어쓰고 있었다.

"도대체 무슨 일이오?"

밥티스타가 놀라서 물었다.

"카테리나 양에게 류트 연주법을 가르치다 이렇게 됐어요. 카테리나 양이 손가락을 잘못 짚어서 손목을 붙잡

고 가르쳐 주려고 했더니, 응큼하다며 다짜고짜 류트로
제 머리를 내리치지 뭡니까? 그뿐이면 다행이지요. 제게
온갖 욕설까지 퍼부었어요. 저는 카테리나 양을 가르칠
수 없습니다. 이만 돌아가겠습니다."

오르텐시오는 머리를 감싸 쥐고 대문 쪽으로 향했다.
그러자 밥티스타가 오르텐시오를 붙잡았다.

"리티오 선생, 진정하시오. 카테리나가 좀 유별나다오.
그 애 말고 작은딸 비앙카에게 음악을 가르쳐 주시오. 그
아이는 공부를 좋아하고, 예절도 바르답니다."

밥티스타의 말에 오르텐시오는 걸음을 우뚝 멈추고 돌
아서서 활짝 웃었다.

"비앙카 양을 가르치라고요?"

"그렇소. 소개해 줄 테니 따라오시오."

밥티스타는 비앙카의 방으로 오르텐시오를 직접 안내
했다. 그 소동을 옆에서 지켜보며 페트루키오는 흥미진진
한 표정을 지었다.

'생각보다 훨씬 더 굉장한 아가씨인가 보군.'

그때, 밥티스타가 돌아보며 페트루키오에게 물었다.

"아직도 카테리나와 결혼할 마음이 있나?"

"물론이지요. 제 마음은 변하지 않았습니다."

"그러면 응접실에 가서 기다리게. 카테리나를 그리로 보내도록 하지."

밥티스타는 이렇게 말하고 멀어져 갔다.

응접실로 안내된 페트루키오는 카테리나를 어떻게 맞을지 궁리하면서 초조하게 기다렸다. 잠시 뒤 쿵쾅쿵쾅 걸어오는 발소리가 들렸다.

'드디어 오는군.'

페트루키오는 마음을 단단히 먹었다. 마침내 문이 벌컥 열리면서 카테리나가 들어왔다. 행동은 듣던 대로 거칠었지만 얼굴은 아름다운 아가씨였다.

"안녕하시오, 케이트!"

페트루키오가 일부러 케이트라고 친근하게 부르며 인사했다. 하지만 카테리나는 페트루키오가 전혀 마음에 들지 않았는지 톡 쏘아붙였다.

"흥, 케이트라고요? 내 이름은 카테리나예요."

페트루키오는 더욱 능청스럽게 대꾸했다.

"케이트라고 부르는 게 싫소? 케이트란 이름은 당신처럼 아름다운 여인에게 딱 어울리는 이름이잖소."

"흥! 무슨 수작을 부리려는 거예요?"

카테리나는 페트루키오의 말장난에 콧방귀를 뀌었다.

두 사람 성격이 막상막하라서 누가 기선을 제압할지 정말 궁금해.

"사랑스런 카테리나, 당신은 정말 상냥하고 친절한 사람이오. 당신의 소문을 듣고 먼곳에서 일부러 찾아왔소. 당신이 얼마나 기품이 넘치고 정숙貞淑해 보이는지 알고 있소?"

"지금 나를 놀리는 건가요?"

카테리나는 성질 나쁜 거위처럼 꽥꽥거렸다. 페트루키오는 카테리나의 거친 말을 듣고도 꾹 참으며 말했다.

정숙(貞淑) : 여자로서 행실이 곧고 마음씨가 맑고 고움.

"아름다운 카테리나! 당신의 목소리는 마치 천사의 음성 같소. 나와 결혼해 줄 수 있겠소?"

"당나귀 같으니라고. 당장 꺼져요!"

"그렇다면 당신도 당나귀가 돼야 하오. 당신은 내 아내가 될 테니까."

카테리나는 약이 바짝 올랐다.

"설사 내가 당나귀가 된다고 해도 당신과는 결혼하지 않을 거예요."

"말벌처럼 쏘아붙이는 것도 잘하는군."

"말벌이라고? 그럼 독침이 있으니 조심하세요."

"나는 독침을 뽑는 재주가 뛰어난 사람이오."

페트루키오는 카테리나의 약을 더욱 올렸다. 약이 바짝 오른 카테리나는 얼굴까지 붉으락푸르락했다.

"이 악마 같으니! 당장 여기서 나가요."

카테리나는 페트루키오의 뺨을 철썩 때리며 소리쳤다. 페트루키오는 갑자기 뺨을 얻어맞고도 아무렇지 않은 듯 껄껄 웃으며 말했다.

페트루키오가
카테리나를 꼼짝 못하게
하는구나. 카테리나가
임자를 제대로 만났어.

"카테리나, 반대쪽 뺨도 때려 주시오."

"흥, 내가 못 때릴 줄 알아요?"

카테리나가 오른팔을 들어 뺨을 때리려는 찰나, 페트루키오가 카테리나의 손목을 날쌔게 휘어잡았다.

"이 손 놔요!"

카테리나는 페트루키오를 노려보며 손을 빼내려고 안간힘을 썼다. 그 순간 페트루키오가 카테리나의 손에 난데없이 입을 맞추었다. 카테리나는 눈을 동그랗게 뜨고 비명을 질렀다.

"놔요! 손을 놓지 않으면 물어 버리겠어요!"

"물어도 상관없소. 알고 보니, 당신이 말괄량이라는 소문은 다 거짓말이었군. 당신은 명랑하고 예의 바른 여자요. 거만하고 무뚝뚝하지도 않소. 얼굴은 봄꽃처럼 예쁘고 누구보다 상냥하고 부드럽소. 그뿐인가? 개암나무 가지처럼 날씬하고 그 열매보다 고운 피부를 가졌지."

페트루키오는 쉴 새 없이 칭찬을 늘어놓았다.

"달의 여신 디아나보다도 당신이 몇백 배 아름답소."

"그런 말솜씨는 어디서 배웠죠?"

페트루키오의 계속되는 칭찬에 기세가 한풀 꺾인 카테리나가 당황해하며 말했다.

"타고난 거요."

페트루키오는 얼른 본론本論을 꺼냈다.

"카테리나, 당신 아버지께 방금 결혼 승낙을 받았소."

"난 결혼 같은 건 하지 않을 거예요."

"난 당신과 결혼할 거요. 아버지께서도 허락하셨으니 당신만 허락하면 되오. 나와 결혼해 줄 수 있겠소?"

그쯤 되자 카테리나도 할 말을 잃고 기가 완전히 꺾이고 말았다. 카테리나는 입술을 깨물며 어떻게 해야 할지 곰곰이 생각했다.

그때, 밥티스타가 그레미오와 루첸티오로 변장한 트라

본론(本論) : 말이나 글에서 주장이 있는 부분.

니오를 데리고 응접실로 들어왔다.

"이보게, 카테리나와는 이야기를 잘했는가? 카테리나, 너는 왜 이리 새침해져 있느냐?"

밥티스타가 카테리나의 눈치를 살피며 물었다. 카테리나는 다시 뾰족해져서 말했다.

"아버지가 저를 이런 얼간이에게 시집보내려고 하니까 그렇죠. 당장 꺼지라고 해 주세요."

그러자 페트루키오가 나서며 말했다.

"마침 잘 오셨습니다, 장인어른. 카테리나와 저는 이번 주 일요일에 결혼하기로 결정했습니다."

"말도 안 돼요! 제멋대로 지껄이지 마세요."

카테리나가 펄쩍 뛰며 말했다.

"장인어른, 카테리나의 행동은 신경 쓰지 마십시오. 저와 약속을 지키려고 일부러 저러는 겁니다. 남들 앞에서는 여전히 말괄량이인 체하기로 했거든요."

밥티스타는 어리둥절한 표정을 지었다.

"아버지, 이 사기꾼의 말을 믿으세요?"

카테리나가 페트루키오를 손가락으로 가리키며 온몸을
부르르 떨었다.

"장인어른, 신경 쓰지 마십시오. 카테리나는 지금 자존
심 때문에 연기를 하는 것뿐입니다. 조금 전만 해도 제가
입을 맞추자 저를 보고 사랑한다고 했답니다."

페트루키오는 얼굴색 하나 변하지 않고 말했다. 그리고
카테리나의 손을 잡아 다시 입맞춤을 했다. 카테리나는
어이가 없어 아무 말도 못하고 얼굴만 붉혔다.

"허허, 페트루키오, 참 대단하네. 카테리나를 보니 자
네 말을 믿어야겠군. 축하하네."

밥티스타는 감탄하며 너털웃음을 터뜨렸다.

페트루키오도 자기의 계획대로 일이 술술 풀리자 기분
이 좋아 활짝 웃었다.

"카테리나, 그럼 나는 베네치아로 가서 결혼식 날 입을
예복을 주문하겠소. 장인어른은 결혼식 준비를 해 주십시
오. 카테리나는 가장 아름다운 신부가 될 겁니다."

페트루키오는 들뜬 목소리로 말했다. 그런 뒤 카테리나

의 뺨에 다정하게 입을 맞추었다. 놀란 카테리나는 페트루키오를 밀치고는 자기 방으로 도망가 버렸다. 페트루키오는 상관하지 않고 방을 나서는 카테리나를 향해 명랑하게 소리쳤다.

"내 사랑 카테리나, 베네치아에 다녀올 테니 일요일까지만 기다리시오!"

밥티스타는 페트루키오가 하인과 함께 사라진 뒤로도 정신을 차릴 수가 없었다.

"말괄량이 카테리나를 저렇게 얌전하게 만들다니 대단한 사나이야!"

베네치아는 이탈리아 북부 아드리아 해 북쪽 해안에 있는 항구 도시야. 118개의 작은 섬으로 이루어져 있지.

밥티스타는 흐뭇한 미소를 지으며 응접실에 있는 그레미오와 트라니오에게 말했다.

"자네 두 사람과도 이야기를 해야겠지? 솔직히 두 사람 중 누구를 사위로 맞을지 결정하기가 쉽지 않네. 이렇게 하는 게 어떻겠나? 두 사람 중 우리 비앙카에게 물려줄 유산이 더 많은 사람을 신랑으로 택하는 것이지."

말이 떨어지기가 무섭게 그레미오가 나서며 말했다.

"우리 집에 있는 물건들은 대부분 황금으로 만들었습니다. 궤짝에도 금화가 가득 들어 있지요. 비앙카 양이 앉는 방석도 최고급 천으로 만들고 진주로 장식할 거예요. 농장에 있는 젖소 100마리와 살찐 황소 120마리도 비앙카 양에게 물려주겠습니다. 전 나이가 많으니 제가 죽으면 그 재산들이 모두 따님 것이 될 겁니다."

"정말 굉장하군."

밥티스타가 감탄하며 말했다.

그러자 이번에는 옆에 있던 트라니오가 나섰다.

"저는 외아들이고 우리 집안의 유일한 상속자입니다. 따님을 저한테 주신다면 저는 피사의 성 안에 있는 여러 채의 대저택을 유산으로 남기겠습니다. 게다가 농토에서 해마다 받는 소작료 2천 크라운도 따님에게 주겠습니다."

소작료란 다른 사람의 농지를 빌려 농사를 지은 대가로 땅주인에게 치르는 사용료야.

"소작료가 2천 크라운이나 된다는 건가?"

"네, 그렇습니다."

밥티스타는 입을 다물 줄 몰랐다. 당황한 그레미오가 다급하게 끼어들었다.

"참, 마르세유 항구에 배 한 척이 더 있습니다."

"그레미오 씨, 우리 아버지는 큰 배를 세 척이나 갖고 있습니다. 중간 크기의 배는 두 척이고, 작은 배는 열두 척이나 돼요. 그 모든 게 비앙카 양의 것입니다."

밥티스타는 더 재어 볼 것도 없이 트라니오의 청혼을 받아들이기로 결심했다.

"루첸티오, 당신이 이겼소. 다음 주 카테리나의 결혼식이 끝나고 그다음 일요일에 당신과 비앙카를 결혼시키겠소. 이제 당신 아버지의 허락만 있으면 되오."

"좋습니다. 가서 아버님을 모시고 오겠습니다."

트라니오는 자신만만하게 대답했다.

7장
이상한 결혼식

화창한 일요일, 밥티스타의 저택에서는 카테리나의 결혼식 준비로 분주^{奔走}했다. 곱게 차려입은 신부는 아버지의 손을 잡고 성당으로 향했다.

그런데 결혼식 시간이 다 되도록 신랑이 나타나지 않았다. 밥티스타는 문 쪽을 바라보며 안절부절못했다.

"결혼식 날 신랑이 나타나지 않다니, 이게 무슨 망신이야. 무슨 일이라도 있는 게 아닐까?"

"흑, 이게 다 아버지 때문이에요. 그런 사기꾼 같은 남

분주(奔走) : 몹시 바쁘게 뛰어다님.

자한테 저를 시집보내려고 하다니! 결혼식 날 창피를 당하는 건 아버지가 아니라 저예요. 이제 어쩌면 좋아요?"

카테리나는 잔뜩 심술이 난 얼굴로 아버지를 원망하더니 큰 소리로 울음을 터뜨렸다.

"결혼식 날 신부가 울다니, 참 안됐군그래. 혹시 신랑이 도망간 게 아닐까? 뒤늦게 말괄량이랑 결혼하는 게 겁이 난 거지."

사람들의 시선이 쏟아지자 카테리나는 참지 못하고 집으로 돌아가 버렸다.

밥티스타가 손님들을 돌려보낼지 말지 고민하고 있을 때 페트루키오가 나타났다. 결혼식 시간이 한참 지나서였다. 그런데 늦게 온 것보다 더 놀라운 건 신랑이 예복을 차려입지 않고 완전히 거지 차림으로 온 것이었다. 재킷은 어디다 벗어 던졌는지 다 떨어진 셔츠에 낡은 바지만 달랑 입고 왔다.

장화는 쓰레기통에서 주워 신었는지 먼지투성이고, 허리춤에는 자루가 금방이라도 부러질 것 같은 녹슨 칼을 차고 있었다. 게다가 타고 온 말은 어찌나 말랐는지 당장이라도 그 자리에 쓰러질 것만 같았다.

"장인어른, 많이 기다리셨지요? 그래도 손님들이 있으니 결혼식을 올리도록 하지요."

페트루키오는 전혀 미안한 기색도 없이 성당 안으로 성큼성큼 들어왔다. 사람들은 페트루키오가 지나갈 때마다 눈살을 찌푸리며 코를 틀어막았다. 온몸에서 지독한 악취가 풍겼기 때문이다.

밥티스타도 얼굴을 찌푸리며 물었다.

"어서 오게. 그런데 꼴이 그게 뭔가? 예복은 어쨌지?"

"사람이 중요하지 옷이 중요한가요? 제 사랑스런 신부는 어디에 있습니까?"

페트루키오는 태연하게 말하며 카테리나를 찾았다.

"자네를 기다리다 울며 집으로 돌아갔다네. 결혼식 날 모두를 기다리게 해서야 쓰나?"

밥티스타가 나무라듯 말했다.

"카테리나가 울었다고요? 겨우 이 정도도 참을 줄 모

르는 여자인 줄은 몰랐군요."

밥티스타는 기분이 몹시 언짢았다.

"자네한테 무슨 일이 있는 줄 알고 카
테리나가 얼마나 걱정했는지 아나? 얼른
옷부터 갈아입게."

밥티스타의 말에도 페트루키오는 옷을
갈아입을 생각은 않고 카테리나만 찾았다.

"신랑이 왔다고 어서 달려오라고 하
십시오. 지금 바로 결혼식을 올리겠습니다."

결혼식 날부터
이렇게 속을 썩이다니!
카테리나가 앞으로
고생 좀 하겠는걸.

밥티스타가 옷을 갈아입으라고 달래고 윽박질렀지만
페트루키오는 고집을 꺾지 않았다.

"이 옷을 입고 결혼식을 올리겠습니다. 그루미오, 어서
카테리나를 데려오너라."

페트루키오의 명령에 그루미오는 허겁지겁 달려 나가
카테리나를 데려왔다.

드디어 결혼식이 시작되었다. 신랑은 거지 차림이었고,
신부는 금방이라도 눈물을 터뜨릴 것만 같았다.

"페트루키오, 그대는 카테리나를 아내로 삼겠는가?"

사제司祭가 결혼식 순서에 따라 신랑에게 물었다.

"그야 당연하지요!"

페트루키오는 고함치듯 큰 소리로 대답했다. 그 바람에 사제가 깜짝 놀라 손에 들고 있던 성경책을 떨어뜨리고 말았다. 성경책을 집으려고 사제가 허리를 숙이자 페트루키오는 슬쩍 사제의 엉덩이를 걷어찼다. 앞으로 고꾸라져서 망신을 당한 사제는 벌떡 일어났다. 하지만 창피해서 결혼식을 허겁지겁 끝마쳤다.

결혼식이 끝나자 밥티스타의 저택에서 축하 잔치가 벌어졌다. 신랑과 신부, 가족과 친척들이 다 한자리에 모여 술과 음식을 나누어 먹었다.

"그루미오, 술을 더 가져오너라."

잔치가 무르익기도 전에 페트루키오가 그루미오에게 다짜고짜 소리를 질렀다. 그리고 술을 가져오자마자 단숨

사제(司祭) : 주교와 신부를 아울러 이르는 말.

에 마시고 집 안이 떠나가라 요란하게 웃어 댔다.

잠시 뒤 페트루키오가 사람들을 둘러보며 말했다.

"이렇게 저희 두 사람의 결혼을 축하해 주셔서 감사합니다. 하지만 저희는 급한 일 때문에 지금 바로 떠나야 합니다. 그럼 안녕히 계십시오."

페트루키오는 술 냄새를 풀풀 풍기며 카테리나의 손을 잡아끌었다. 밥티스타가 깜짝 놀라며 사위를 붙들었다.

"이보게, 하룻밤은 못 자더라도 이 잔치나 끝내고 가게. 무슨 일이 그리 급하다고 그러나?"

카테리나도 조금만 더 머물자고 간청했지만 페트루키오는 고집을 꺾지 않았다.

"카테리나, 당신의 집은 이제 여기가 아니오. 어서 갑시다. 오늘 중으로 시골 별장까지 가야 하오."

남편의 태도에 단단히 화가 난 카테리나는 평소처럼 악을 쓰며 말했다.

"나는 여기 있겠어요. 가려면 당신 혼자 가요!"

"어리광은 이제 받아주지 않을 거요. 이제 난 당신의

남편이니 고분고분 따라오도록 하시오."

페트루키오는 아내의 버릇을 잡겠다는 듯이 손목을 세게 잡아끌며 소리쳤다. 밥티스타도 더 이상 말리지 못했고, 카테리나도 눈물방울을 떨어뜨리며 남편에게 끌려가야 했다.

"말괄량이 카테리나가 제대로 임자를 만났군."

남편에게 끌려가는 카테리나를 보고 모인 사람들은 웃음을 터뜨렸다.

가짜 루첸티오로 변장하고 결혼식에 참석한 트라니오는 가정 교사로 변장한 진짜 루첸티오와 구석에서 은밀隱密하게 이야기를 나누었다.

가짜 아버지까지 만들다니, 어째 일이 점점 커지는걸! 괜찮을까?

"도련님, 밥티스타 나리께서 도련님의 아버지를 모셔 오라고 하셨잖아요. 저한테 좋은 방법이 생각났습니다."

은밀(隱密) : 숨어 있어서 겉으로 드러나지 아니함.

"그게 뭐지? 어서 말해 봐, 트라니오."

"가짜 빈첸티오 나리를 만드는 겁니다."

"가짜 아버지를 만들자고? 그거 좋은 생각이구나. 트라니오, 넌 정말 천재야."

루첸티오가 기쁜 목소리로 말했다.

"헤헤, 제가 머리는 잘 돌아가는 편이지요. 그 가짜 빈첸티오 나리와 밥티스타 나리가 만나서 결혼 승낙도 하고 비앙카 아가씨에게 물려줄 유산까지 의논하면 됩니다."

"좋아, 그럼 어서 가서 가짜 빈첸티오를 찾아라."

루첸티오는 만족스러운 미소를 지었다.

한편, 페트루키오는 카테리나를 일부러 고생시킬 생각이었는지 울퉁불퉁한 길만 골라 다녔다. 게다가 도중에 비까지 내려 카테리나는 비에 젖은 생쥐 꼴이 되고 말았다. 카테리나는 자존심 때문에 허리를 꼿꼿이 세우고 힘들지 않은 척했지만, 얼마 못 가서 까무러칠 정도로 지치고 말았다.

"으악!"

설상가상으로 늙은 말이 지쳐서 고꾸라지는 바람에 흙탕물에도 처박히고 말았다. 카테리나는 터져나오려는 울음을 꾹 참고 혼자서 일어나야만 했다.

신혼부부는 우여곡절 끝에 시골 별장에 도착했다. 페트루키오는 집에 들어서자마자 온 별장이 떠나가도록 소리를 질렀다.

"이런 게으름뱅이들 같으니라고! 주인님이 오시는데 왜 한 녀석도 마중을 나오지 않은 거지?"

그 소리를 듣고 하인들이 허겁지겁 달려나와 허리를 조아렸다. 그루미오는 맨 뒤로 따라 나왔다.

"대령했습니다, 주인님! 여행은 즐거우셨습니까?"

그 말에 페트루키오는 붉으락푸르락한 얼굴로 다짜고짜 그루미오의 멱살을 잡고 흔들었다.

"그루미오, 내가 이 멍청이들을 데리고 공원까지 마중 나오라고 하지 않았느냐?"

그루미오는 난데없는 봉변에 캑캑거리며 변명했다.

"주인님, 사정이 있었습니다. 주인님이 하도 늦게 오시는 바람에……. 제발 놔주세요. 이러다 죽겠어요!"

그루미오가 눈물 콧물 흘리며 사정하자 페트루키오는
그제야 멱살을 놓아주며 말했다.

"꾸물대지 말고 어서 가서 저녁상을 차려 오너라!"

페트루키오의 명령이 떨어지기가 무섭게 하인들은 눈
앞에서 사라졌다.

페트루키오는 진흙투성이 옷을 갈아입지도 않고 의자
에 걸터앉았다. 그러더니 콧노래를 흥얼거리며 카테리나
의 손을 다정스레 끌어당겼다.

"카테리나, 여기 앉아요!"

카테리나가 토라진 표정을 풀지 않자
페트루키오는 벌떡 일어나 다짜고짜 호통
을 쳤다.

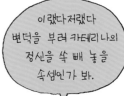

이랬다저랬다
변덕을 부려 카테리나의
정신을 쏙 빼 놓을
속셈인가 봐.

"제발 남편의 말에 순종하는 법 좀 배
우시오!"

그러더니 금세 인상을 펴고 부드러운 목소
리로 카테리나를 달랬다.

"카테리나, 먼 길을 와서 배고겠군. 자, 식탁으로 갑시
다. 곧 맛있는 식사가 나올 거요."

사실 페트루키오 말대로 카테리나는 배가 고파서 쓰러
질 지경이었다. 잠시 뒤 두 사람이 식탁에 앉자 하인이 고
기 접시를 들고 왔다. 맛있는 냄새가 나는 양고기였다.

그런데 페트루키오가 요리를 보고 트집을 잡았다.

"이런, 요리가 탔잖아? 이걸 나보고 먹으라는 거냐?"

"제발 화 좀 내지 마세요. 요리는 멀쩡하잖아요."

카테리나는 입맛을 다시며 양고기를 먹으려고 했다. 그
러자 페트루키오가 접시를 얼른 낚아챘다.

"의사가 탄 음식은 절대 먹지 말라고 했소. 차라리 굶
는 게 낫소. 당신에게 이렇게 해로운 음식을 먹게 할 순
없소. 이건 독약이나 마찬가지요!"

"저는 이대로도 좋으니 먹겠어요."

카테리나가 힘없는 목소리로 말했다. 그러나 페트루키
오는 양고기 접시를 창밖으로 내던져 버렸다. 그 뒤에도
페트루키오는 나오는 음식마다 트집을 잡아 창밖으로 던

졌다. 카테리나는 더 이상 말할 기운도 없었다.

"카테리나, 몹시 피곤해 보이는군. 자, 침실에 가서 한숨 자고 일어나면 괜찮을 거요."

페트루키오는 자상한 남편처럼 말했다. 그리고 다정하게 카테리나를 안고 방까지 데려갔다.

잠시 뒤 방 밖으로 나온 페트루키오는 혼잣말을 했다.

"하루 동안 말괄량이를 반쯤은 길들인 것 같군. 오늘밤은 잠을 한숨도 못 자게 해야지. 양고기 요리처럼 이것저것 트집을 잡는 거야. 그러면 아무리 지독한 말괄량이라도 고분고분해질걸. 버릇을 단단히 고쳐야겠어."

페트루키오는 입가에 미소를 흘리면서 다시 방으로 들어갔다. 카테리나는 그날 밤 한잠도 잘 수가 없었다. 밤새 페트루키오가 소란을 피워 댔기 때문이다. 하루 종일 굶고 잠까지 못 잔 탓에 다음 날 기운이 다 빠져 버린 카테리나는 남편이 하자는 대로 고분고분하게 행동했다.

8장
말괄량이 길들이기 작전

결혼식이 끝나고 나서 캄비오 선생과 비앙카는 사이가 부쩍 좋아졌다. 두 사람은 광장 곁에 있는 숲 속 나무 그늘에 앉아 책을 읽으며 다정한 시간을 보내곤 했다.

오르텐시오는 비앙카의 마음이 캄비오 선생에게 많이 기운 것을 보고 몹시 실망했다.

"정말 지조志操 없는 여자로군."

오르텐시오는 나무 뒤에서 두 사람을 지켜보며 씁쓸하게 말했다. 때마침 그곳을 지나던 가짜 루첸티오인 트라

지조(志操) : 원칙과 신념을 굽히지 아니하고 끝까지 지켜 나가는 꿋꿋한 의지.

니오가 다가와 오르텐시오에게 말을 걸었다.

"리티오 선생, 당신 말이 맞소. 믿지 못할 건 여자의 마음이라더니! 비앙카 양에게 정말 실망했소."

트라니오는 상처 입은 남자처럼 쓸쓸하게 말했다.

"어떻게 저럴 수가 있단 말이오? 캄비오 선생보다 내가 부족한 게 뭐요? 그동안 내가 얼마나 어리석었는지 깨달았소. 이젠 비앙카 양이 결혼하자고 매달려도 내가 싫소. 나는 비앙카 양을 포기하겠소."

오르텐시오는 절망에 사로잡혀 말했다.

"진정하시오, 리티오 선생."

트라니오가 오르텐시오를 위로했다.

"이제 가면을 벗겠소. 사실 나는 음악 선생 리티오가 아니오. 비앙카 양과 결혼하려고 음악가인 척했을 뿐이오. 내 이름은 오르텐시오요. 앞으로 열흘 안에 보란 듯이 결혼해서 비앙카 앞에 나타나겠소."

"열흘 안에 말입니까? 마땅한 아가씨라도 있습니까?"

"오래전부터 나한테 관심이 있는 여자가 있소. 마음씨

불쌍한 오르텐시오!
트라니오가 루첸티오와
한편인지도 모르고
당했어.

하나는 곱지요."

"현명한 생각입니다."

트라니오가 맞장구를 쳤다.

"나는 그만 가 봐야겠소."

오르텐시오는 성큼성큼 걸어서 광장을 빠져나갔다. 트라니오는 오르텐시오의 뒷모습을 보며 비웃었다.

"찰거머리 오르텐시오를 따돌렸으니, 루첸티오 도련님이 비앙카 아가씨와 결혼할 날도 멀지 않았어."

그때 가짜 빈첸티오를 구하려 갔던 비온델로가 광장 쪽에서 숨을 헐떡이며 뛰어왔다. 비온델로는 루첸티오를 조용히 한쪽으로 불러내 소식을 전했다.

"루첸티오 도련님, 적당한 사람을 구했습니다. 만투바 사람인데, 파도바와 만투바 사이에 큰 싸움이 났다며 집에 붙잡아 두었습니다."

"그래? 아버지와는 많이 닮았느냐?"

루첸티오가 눈빛을 빛내며 물었다.

"시골 상인인데, 빈첸티오 어르신을 매우 닮았습니다."

비온델로의 말에 루첸티오는 흡족한 미소를 지으며 비온델로를 칭찬했다.

"수고했어, 비온델로."

루첸티오와 헤어진 트라니오와 비온델로는 함께 집으로 돌아왔다. 집에서는 시골 상인이 긴장된 표정으로 기다리고 있었다.

"어르신, 지금 집을 나가시면 목숨이 위태롭습니다. 파도바 사람들이 만투바 사람은 가만두지 않을 거예요."

순진한 시골 상인은 감쪽같이 속아 벌벌 떨었다.

"살 수 있는 방법이 딱 하나 있습니다. 이곳에 머물면서 가짜 빈첸티오 나리 흉내를 내는 겁니다. 그러면 아무도 당신을 해치지 않을 거예요."

시골 상인은 고개를 끄덕이며 그러겠다고 했다. 그리고

흡족(洽足) : 조금도 모자람이 없을 정도로 넉넉하여 만족함.

밥티스타를 만나 결혼 승낙까지 하겠다고 약속했다.

한편 시골 별장에 머물던 카테리나는 배가 고파서 죽기 일보 직전이었다. 남편 페트루키오가 며칠 동안 쫄쫄 굶겼기 때문이다.

페트루키오는 매번 웃는 얼굴로 다정하게 굴었지만 음식이 나올 때마다 이런저런 트집을 잡으며 먹지 못하게 했다. 그뿐 아니라 며칠 동안 잠도 한숨 못 자게 했다.

"남편은 나를 굶겨 죽이려나 봐. 내 신세가 왜 이렇게 됐담!"

카테리나는 신세타령을 했다.

페트루키오가 잠시 집을 비우자 카테리나는 하인 그루미오를 불러 사정했다.

"그루미오, 굶어 죽겠어. 제발 먹을 것 좀 갖다 줘."

"주인님 허락 없이는 아무것도 갖다 드릴 수가 없어요. 저, 소 뒷다리 요리라도 몰래 가져올까요?"

그루미오가 물었다.

"좋아, 어서 가져와!"

카테리나가 활짝 웃으며 그루미오를 재촉했다.

"생각해 보니, 아름다운 마님이 흉하게 고기를 뜯게 할 수는 없네요. 쇠고기에 겨자를 발라 가져올까요?"

"와, 그건 내가 좋아하는 요리야. 어서 가져와."

"아니에요, 겨자는 매워서 자극적일 것 같아요."

카테리나는 슬슬 화가 치밀어 오르기 시작했다.

"지금 나를 놀리는 거야? 썩 꺼져 버려!"

카테리나는 바닥에 털썩 주저앉아 울음을 터뜨리고 말았다. 잠시 뒤 페트루키오가 방으로 직접 음식 접시를 들고 들어왔다.

"여보, 왜 그렇게 슬픈 표정인 거요?"

페트루키오가 근심 섞인 목소리로 물었다.

"당신은 나를 굶겨 죽일 속셈인 거죠?"

카테리나가 남편에게 톡 쏘아붙였다.

"그건 오해요, 카테리나. 보시오, 당신을 위해 맛있는 요리를 만들어 왔잖소."

페트루키오는 음식 접시를 식탁에 내려놓고 카테리나

를 바닥에서 일으켜 주었다.

카테리나는 남편이 무슨 꿍꿍이인가 싶어 음식을 노려보기만 했다.

"먹기 싫은 거요? 그럼 하인들더러 치우라고 하겠소."

페트루키오는 이렇게 말하며 하인을 불렀다. 그러자 당황한 카테리나가 음식 앞으로 달려들며 말했다.

"아니에요, 먹겠어요. 그냥 두세요."

페트루키오는 다시 날카롭게 말했다.

"예의가 있다면 고맙다는 말 한마디는 해야겠지?"

"여보, 고마워요. 잘 먹을게요."

남편 비위를 맞추느라 말괄량이 카테리나의 성격이 싹 고쳐졌어.

카테리나는 고분고분하게 대답하고는 허겁지겁 음식을 먹기 시작했다. 식사가 끝나자 페트루키오가 다정스레 말을 건넸다.

"여보, 이번 주에 당신 친정^{親庭}에 다녀옵

친정(親庭) : 결혼한 여자의 부모 형제 등이 살고 있는 집.

시다. 결혼식 날 급히 나와서 다들 서운했을 거요. 동생 결혼식도 있으니 멋진 옷을 차려입고 갑시다."

"어머, 그게 정말이에요?"

카테리나는 친정에 간다는 생각에 뛸 듯이 기뻤다.

"비단 옷과 예쁜 모자를 갖춰 입으면 모두들 당신을 부러워할 거요."

잠시 뒤 재단사가 새 모자와 옷을 들고 방으로 들어왔다. 카테리나는 들뜬 마음에 모자를 써 보려고 집어 들었다. 고급 모자였고, 카테리나의 마음에 쏙 들었다.

하지만 페트루키오는 모자를 보고 아이들 장난감 같다면서 멀리 집어 던져 버렸다. 또 재단사가 가져온 옷은 가장무도회에나 어울리는 옷이라며 트집을 잡았다.

"이러고도 최고의 재단사라고 할 수 있겠어? 하나같이 엉망이잖아. 이렇게 형편없는 옷은 처음 보네."

"아니에요. 제 마음에는 쏙 드는걸요."

카테리나가 아무리 진심으로 말해도 페트루키오는 막무가내였다. 옷과 모자를 들고 집에서 쫓겨나는 재단사를 보며 카테리나는 페트루키오와 결혼한 것을 후회했다.

"옷은 그냥 이대로 입고 갑시다."

페트루키오는 아무렇지 않게 말했다. 카테리나는 대꾸할 기운도, 실망할 기운도 없었다. 그저 남편 페트루키오가 이끄는 대로 말에 올랐다.

파도바를 향해 한참을 가다 보니 숲길이 나왔다. 말없이 가던 페트루키오가 갑자기 하늘을 올려다보며 말했다.

"카테리나, 달이 참 밝지?"

남편이 해를 보고 달이라고 말하자 카테리나가 기가 막히다는 듯 대꾸했다.

"대낮에 달이라니요? 저건 해잖아요."

"뭐? 저건 해가 아니라 달이야."

페트루키오는 고삐를 당겨 말을 멈추고 트집을 잡기 시작했다.

"어째서 당신은 내가 하는 말마다 대꾸를 하는 거지? 내 기분이 얼마나 상할지 몰라? 이럴 바에는 차라리 별장으로 돌아갑시다!"

페트루키오가 화를 내며 말머리를 돌렸다.

"아, 아니에요. 다시 보니까 달이에요. 당신이 하는 말은 뭐든지 옳아요. 제가 잘못했어요."

당황한 카테리나가 상냥한 목소리로 말했다. 하지만 페트루키오가 또다시 버럭 화를 냈다.

"저게 달이라고? 이런 바보 같으니! 대낮에 달이 뜰 리가 있나? 똑똑히 봐. 저건 해야."

카테리나는 한숨을 내뱉었다.

"그래요, 당신이 해라고 하면 해고, 달이라고 하면 달이에요. 당신이 옳아요."

카테리나는 남편에게 완전히 항복하고 말았다. 그제야 페트루키오는 호탕하게 웃으며 파도바를 향해 말을 달리기 시작했다.

두 사람은 한적한 시골 길을 지나다 말을 타고 가는 한 노신사를 만났다. 노신사는 페트루키오와 카테리나에게 반갑게 인사하며 말했다.

"내 이름은 빈첸티오요. 파도바에서 공부하고 있는 아

들을 만나러 가는 길이라오."

"아드님 이름이 뭔가요?"

페트루키오가 공손하게 물었다.

"루첸티오라오."

페트루키오와 카테리나는 노신사가 비앙카와 결혼하는 루첸티오의 아버지라는 것을 알고 깜짝 놀랐다.

"빈첸티오 씨, 반갑습니다. 오늘 아드님의 결혼식이 있지 않습니까? 결혼식에 늦지 않으려면 서둘러야겠군요."

"난데없이 결혼식이라니? 그게 무슨 소리요?"

"신부는 여기 있는 제 아내의 동생 비앙카입니다."

페트루키오의 말에 빈첸티오는 어안이 벙벙해졌다.

"연락을 못 받으셨습니까? 그렇다면 직접 가서 확인하면 되겠군요."

일행이 된 세 사람은 파도바로 길을 재촉했다.

9장
비밀 결혼식 대소동

그 시간, 밥티스타의 저택에는 가짜 루첸티오인 트라니오와 가짜 빈첸티오인 시골 상인이 찾아왔다. 비앙카의 결혼식 문제를 상의하기 위해서였다. 시골 상인은 그럴듯하게 빈첸티오 행세를 했다.

"빈첸티오 씨는 두 사람의 결혼을 승낙하십니까?"

"물론이지요."

"결혼을 승낙해 주시니 고맙습니다. 아드님께서 유산을 비앙카에게 모두 상속하겠다고 약속했습니다. 그것도 승낙하십니까?"

"네, 승낙합니다."

"감사합니다. 저도 두 사람의 결혼을 승낙합니다."

밥티스타와 시골 상인은 화기애애한 분위기 속에서 줄곧 이야기를 나누었다.

밥티스타가 감쪽같이 속는 동안 진짜 루첸티오는 그날 밤에 있을 결혼식을 준비하느라 바빴다. 밥티스타 몰래 비앙카와 비밀 결혼식을 치를 생각이었다. 루첸티오는 그동안 가정 교사로 비앙카 곁에 붙어 있으면서 비앙카의 마음을 완전히 사로잡아 결혼 승낙까지 받았다.

그날 저녁, 진짜 빈첸티오가 루첸티오의 집에 도착했다. 빈첸티오는 급한 마음에 현관문을 세게 두드렸다. 하지만 집 안은 조용했다. 트라니오는 밥티스타를 데리러 갔고, 루첸티오와 비온델로는 비밀 결혼식을 올리기 위해 성당에 갔기 때문이다. 집을 지키고 있던 시골 상인은 곯아떨어져 아무 소리도 듣지 못했다.

"아무도 없소?"

으악! 진짜 아버지가 파도바에 오다니! 루첸티오가 결혼식을 무사히 치를 수 있을까?

빈첸티오는 더욱 세게 문을 두드렸다. 그제야 잠이 깬 시골 상인이 눈을 부비며 문밖으로 고개를 내밀었다.

"여기가 루첸티오의 집이 맞소? 나는 피사에서 온 루첸티오의 아버지 빈첸티오요."

빈첸티오의 말에 상인이 하품을 하며 말했다.

"거짓말 마시오! 세상에 아버지가 둘인 아들도 있소? 당신은 지금 루첸티오의 아버지인 나를 모독冒瀆했소."

"뭐라고? 당신이 루첸티오의 아버지라고? 루첸티오의 아버지는 나요. 도대체 왜 남의 아버지 행세를 하고 있는지 말해 보시오."

빈첸티오는 몸을 부르르 떨며 언성을 높였다. 빈첸티오가 시골 상인과 옥신각신하는 사이 성당에 갔던 하인 비온델로가 집으로 돌아왔다. 비온델로를 먼저 발견한 시골 상인이 큰 소리로 소리쳤다.

"비온델로, 이 사기꾼 녀석을 꼭 붙들어라."

모독(冒瀆) : 말이나 행동으로 더럽혀 욕되게 함.

비온델로는 시골 상인이 붙잡고 있는 사람을 보고 까무러치게 놀랐다. 진짜 주인인 빈첸티오였기 때문이다.

'지금 들통 나면 모든 게 끝이야. 빈첸티오 주인님께는 죄송하지만 모른 척할 수밖에 없어.'

비온델로는 일부러 빈첸티오를 모른 척했다.

"비온델로, 당장 달려와 누가 진짜 주인인지 밝혀라."

빈첸티오의 호통에도 비온델로는 끄떡하지 않고, 능청스럽게 가짜 빈첸티오를 가리키며 말했다.

"우리 주인 빈첸티오 나리는 바로 이분입니다."

화가 머리끝까지 치민 진짜 빈첸티오는 지팡이로 비온델로를 내리치며 고함을 내질렀다.

"고얀 녀석, 네가 맞아야 정신을 차리겠구나!"

"으악, 살려 줘요! 미친 노인네가 사람 잡아요!"

비온델로가 빈첸티오에게 얻어맞고 있을 때, 트라니오가 결혼 승낙서를 작성作成하기 위해 밥티스타를 데려왔

작성(作成) : 서류, 원고 따위를 만듦.

다. 진짜 빈첸티오를 발견한 트라니오도 얼굴이 하얗게 질렸다.

"아니, 트라니오, 넌 하인인 주제에 왜 주인의 옷을 입고 있는 것이냐? 이게 다 무슨 일이람. 아들 녀석은 하라는 공부는 않고 도대체 어디를 갔다는 말이냐?"

빈첸티오가 루첸티오의 옷을 입은 트라니오를 보더니 가슴을 치며 땅바닥에 털썩 주저앉았다.

'이 일을 어쩌면 좋지? 주인어른이 직접 오실 줄은 예상하지 못했어. 사실대로 말하면 루첸티오 도련님이 결혼식을 올릴 수 없을 거야. 도련님께 조금만 시간을 벌어 드리자.'

트라니오는 빈첸티오의 계속되는 호통에도 시치미를 뚝 떼고 루첸티오 행세를 했다.

그사이, 집에서 몰래 빠져나온 비온델로는 성당을 향해 허겁지겁 달려갔다. 마침 무사히 결혼식을 끝낸 진짜 루첸티오와 비앙카가 팔짱을 끼고 나왔다.

"도련님, 큰일 났어요. 진짜 주인어른이 오셨어요! 지금 집 앞에서 트라니오를 야단치고 계신답니다."

루첸티오는 갑작스런 아버지의 등장에 깜짝 놀랐지만 곧 차분한 목소리로 말했다.

"가서 모두에게 솔직히 말하고 용서를 구해야겠다."

루첸티오는 비앙카의 손을 잡고 서둘러 집으로 향했다. 가는 동안 비앙카에게는 모든 사정을 이야기했다.

집 앞에 이르렀을 때 빈첸티오는 넋을 잃은 채 앉아 있었다. 루첸티오는 빈첸티오와 밥티스타 앞에 무릎을 꿇고 용서를 빌었다.

"아버지, 그리고 밥티스타 씨, 용서해 주십시오!"

모든 사정을 듣고 빈첸티오는 그제야 안심하고 아들을 안았다. 그사이 가짜들은 집 안으로 후닥닥 도망쳤다.

밥티스타는 영문을 몰라 여전히 어리둥절해했다.

"캄비오 선생, 이게 어찌 된 일이오? 왜 당신이 비앙카와 결혼식을 올린 거요?"

"제가 진짜 루첸티오입니다. 옆에 계신 이분이 저의 진짜 아버지인 빈첸티오입니다. 가짜들이 두 분을 속이는

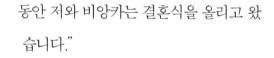

동안 저와 비앙카는 결혼식을 올리고 왔
습니다."

"감히 내 승낙도 없이 내 딸과 결혼
을 했단 말인가?"

"비앙카의 마음을 사로잡을 방법이 이
것뿐이었습니다. 용서해 주십시오."

루첸티오가 다시 한 번 용서를 구했다.

"휴, 어쩔 수 없지. 어찌 됐든 진짜 루첸
티오라니까."

밥티스타는 여전히 화가 덜 풀렸지만 두 손을 꼭 잡은
신혼부부를 보고 잘못을 용서해 주기로 했다.

"걱정 마십시오. 밥티스타 씨. 제가 진짜로 결혼 승낙
을 할 테니 말입니다. 하지만 그전에 나를 모른 척한 악당
녀석들을 혼내 주고 오겠습니다."

빈첸티오는 이렇게 말하고는 씩씩거리며 집 안으로 들
어갔다.

다음 날, 밥티스타는 두 딸과 두 사위를 위해 큰 잔치를

벌었다. 오르텐시오도 그사이 결혼을 해서 아내를 데리고 잔치에 참석했다.

오르텐시오는 가정 교사 캄비오가 진짜 루첸티오라는 사실을 알고는 얼떨떨한 표정을 지었다. 하지만 그동안의 일을 모두 전해 듣고는 진심으로 결혼을 축하해 주었다.

잔치가 한창 무르익을 때쯤, 누군가가 페트루키오를 불쌍하게 여기며 말했다.

"페트루키오 씨, 말괄량이 아내를 데리고 사느라 고생이 많지요?"

"제 아내는 더 이상 옛날의 말괄량이가 아니랍니다. 어쩌면 여기 있는 아내들 중 가장 훌륭할 겁니다."

페트루키오가 자신 있게 말했다. 하지만 사람들은 페트루키오의 말을 믿지 않고 내기를 하자고 했다.

"좋소, 여기에서 각자 자기 아내를 불러 봅시다. 제일 먼저 달려오는 아내의 남편이 이기는 거요."

페트루키오의 말에 루첸티오가 나서며 말했다.

"아마, 비앙카가 가장 먼저 달려올 겁니다! 100크라운

씩 돈을 걸도록 하지요."

오르텐시오도 자신 있다고 했다. 서로 자기 아내가 남편의 말을 가장 잘 따를 거라고 확신했다.

"제가 먼저 비앙카를 부르겠습니다."

루첸티오는 이렇게 말하며 비온델로를 아내에게 보냈다. 잠시 뒤 비온델로가 돌아와 말했다.

"지금은 바빠서 못 오시겠다는데요!"

루첸티오는 코가 납작해졌다. 뒤를 이어 오르텐시오도 하인을 보내 아내를 불렀지만 오르텐시오의 아내도 오지 않았다. 마지막으로 페트루키오 차례였다.

"카테리나는 절대로 오지 않을 거야."

사람들은 카테리나가 고분고분하게 달려오지는 않을 거라고 장담했다.

"그루미오, 마님한테 가서 내가 좀 오란다고 전해."

페트루키오의 말에 하인 그루미오는 카테리나를 찾아 쏜살같이 달려갔다.

잠시 뒤, 상상도 못 할 일이 벌어졌다. 말괄량이 카테리

나가 그루미오를 따라 종종걸음으로 달려온 것이다. 그뿐
아니라, 카테리나는 매우 상냥한 목소리로 이렇게 묻기까
지 했다.

"무슨 일이에요, 페트루키오?"

"가서 비앙카와 오르텐시오 부인을 불
러 오시오."

"알겠어요, 여보."

카테리나는 남편의 말에 두말하지 않고 되
돌아갔다.

말괄량이 카테리나가
이렇게 달라질지 누가
상상이나 했겠어?

"세상에! 정말 기적 같은 일이군!"

밥티스타는 매우 기뻐하며 2천 크라운을
가져와 페트루키오에게 건넸다.

"이건 새롭게 바뀐 내 딸에게 주는 지참금일세."

잠시 뒤, 카테리나가 비앙카와 오르텐시오 부인을 데리
고 돌아왔다. 페트루키오가 아내에게 말했다.

"카테리나, 이 부인들에게 아내가 남편을 어떻게 섬겨
야 하는지 가르쳐 주시오."

"알겠어요. 우선 남편을 볼 때는 얼굴부터 활짝 펴세요. 남편은 우리의 주인이며 생명이며 수호자守護者예요. 우리가 집에서 편안하게 지낼 수 있는 것도 남편 덕분이에요. 그런 남편에게 우리 아내들이 조금이라도 보답하는 길은 사랑과 존경의 마음이라고 생각해요. 그것이 아내의 의무랍니다."

카테리나의 말이 끝나자 남편 페트루키오가 그녀의 손을 정답게 잡으며 말했다.

"역시 당신은 훌륭한 아내야, 카테리나!"

그러고는 카테리나의 손등에 입을 맞추었다.

"페트루키오, 자네가 우승자일세. 이 지독한 말괄량이를 순한 양처럼 길들였으니 말일세."

밥티스타는 껄껄 웃으며 술잔을 들고 건배를 외쳤다.

수호자(守護者) : 지키고 보호하여 주는 사람.

PART3

PART3 PART3
PART3 PART3 PART3
PART3 PART3 PART3 PART3
PART3 PART3 PART3 PART3 PART3
PART3 PART3 PART3 PART3 PART3
PART3 PART3 PART3 PART3 PART3
PART3 PART3 PART3 PART3
PART3 PART3 PART3 PART3
PART3 PART3 PART3
PART3 PART3

깊어지는 논술

더 넓고 깊게 생각하면서
논술을 풀어 봐!

PART 3

깊어지는 논술

말괄량이 길들이기 (The Taming of the Shrew)

〈말괄량이 길들이기〉는 셰익스피어가 1594년경에 쓴 희극 작품이에요. 이 무렵 영국은 엘리자베스 여왕이 다스리던 시대였어요. 상업과 무역이 크게 발달해서 온 나라가 살기 좋았지요. 이러한 풍요로운 시대적 배경은 셰익스피어의 작품에 고스란히 반영되었어요. 그래서 심각하고 무거운 내용을 주로 다루는 비극보다 경쾌하고 활달한 젊은 기운이 넘치는 희극을 주로 썼답니다.

이 작품은 말괄량이 아가씨 카테리나가 베로나의 괴짜 신사 페트루키오와 결혼하여 어떻게 훌륭한 아내로 거듭나는지를 보여 주는 이야기예요. 여기에 사랑스럽고 얌전한 동생 비앙카에게 몰려든 구혼자들의 유쾌한 소동이 재미를 더해 주지요. 셰익스피어는 카테리나와 페트루키오를 통해 진심을 알아주는 사람을 만남으로써 사람이 얼마나 놀랍게 변하는지를 보여 주고 싶어 했답니다.

◀ 셰익스피어의 〈말괄량이 길들이기〉는 연극과 뮤지컬, 발레 공연 등으로 지금도 꾸준히 무대에 오르고 있어요.

윌리엄 셰익스피어
(William Shakespeare, 1564 ~ 1616)

영국 최고의 극작가 셰익스피어는 1564년 영국의 스트랫퍼드 어폰 에이번에서 태어났어요. 어린 시절에는 집안이 부유했지만 열세 살이 되던 해 집안 형편이 갑자기 어려워져서 공부를 중단할 수밖에 없었답니다. 하지만 셰익스피어는 대학에 가지 못하는 대신 많은 책을 읽으며 부족한 공부를 채워 나갔어요. 그리고 청년 시절 런던으로 건너가서 배우이자 극작가로 활동했지요. 셰익스피어는 비극과 희극, 역사극 등 다양한 분야의 작품을 발표했어요.

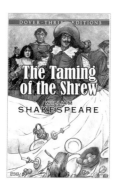

엘리자베스 1세 시대에는 재미있는 희극을 주로 발표했고, 제임스 1세 시대에는 주로 비극을 발표했어요. 대표적인 작품에는 〈로미오와 줄리엣〉, 〈맥베스〉, 〈리어 왕〉, 〈오셀로〉, 〈햄릿〉, 〈한여름 밤의 꿈〉, 〈베니스의 상인〉, 〈말괄량이 길들이기〉 등이 있답니다.

▲ 셰익스피어의 희극 〈말괄량이 길들이기〉의 표지예요.

희극을 통해 웃음뿐만 아니라 삶의 지혜도 깨닫길 바랍니다.

말괄량이 길들이기 대작전

카테리나는 지독한 말괄량이 아가씨였어요. 성격도 얼마나 고약한지 파도바에 소문이 날 정도였답니다. 구혼자들이 줄을 잇는 동생 비앙카에 비해 카테리나에게는 구혼자가 한 명도 없었지요. 그럴수록 카테라나는 더욱 심술을 부리고 제멋대로 행동했답니다.

여러분도 카테리나처럼 철없이 행동하거나 심술을 부릴 때가 있지요? 예쁜 동생을 시샘하거나 버릇없는 행동으로 부모님 속을 썩인 적도 있을 거예요. 하지만 그 때문에 부모님이나 가족들이 얼마나 힘들지 안다면 그런 행동들을 고치려고 노력하겠죠?

남자답고 쾌활한 성격을 가진 페트루키오는 카테리나가 부유한 상인의 딸이라는 말을 듣고 결혼을 결심했어요. 말괄량이라서 아무도 청혼하지 않는다는 말을 듣고도 전혀 아랑곳하지 않았지요. 만약 페트루키오가 카테리나의 단점만을 보고 멀리 도망쳤다면 어땠을까요?

여러분은 친구의 단점만 보고 피하거나 가까이 오지 못하도록 선을 그은 적이 없나요? 사람은 누구나 장점과 단점을 가지고 있어요. 좋은 친구가 되어 단점은 고치고 장점은 더욱 키울 수 있도록 여러분이 도와주세요.

페트루키오는 겉으로 보면 거칠고 나쁜 남편이었어요. 괴짜인데다 변덕은 죽 끓듯 하고, 심지어는 아내를 굶기기까지 했지요. 하지만 아무도 몰랐을 거예요. 마음은 누구보다 따뜻하고 카테리나를 걱정했다는 것을 말이에요.

누군가가 여러분의 단점을 지적하거나 야단을 칠 때 여러분은 어떤 기분을 느끼나요? 그 상황만 놓고 그 사람이 여러분을 미워한다고 생각한 적은 없나요? 하지만 겉모습이나 말로만 사람들을 판단하지 말고, 마음의 소리를 들을 수 있어야 해요.

결혼을 하거나 친구를 선택할 때 가장 중요한 기준은 뭘까요? 돈, 나이, 학벌, 외모, 성격 등 다양한 답이 나올 거예요. 하지만 서로 사랑하고 믿는 마음보다 소중한 게 있을까요?

　비앙카는 주변에 몰려든 훌륭한 조건의 남자들을 다 물리치고, 평범한 가정 교사로 변장한 루첸티오를 선택했어요. 루첸티오의 진실한 마음이 비앙카의 마음을 사로잡은 거예요.

　여러분은 친구를 사귈 때 어떤 기준을 먼저 보는지 생각해 보세요. 아무쪼록 서로 진실된 마음을 나누고 이해해 줄 수 있는 친구를 찾도록 노력해 보세요.

'뛰는 놈 위에 나는 놈 있다.'는 옛 속담이 있어요. 페트루키오와 카테리나를 보면 이 속담이 먼저 떠오른답니다. 자존심 세고, 이기적인 카테리나의 성격을 꿰뚫어 본 페트루키오는 온갖 다양한 방법으로 기선을 제압했어요. 결국 카테리나는 자기의 자존심과 고집을 꺾고 남편을 존중해야만 한다는 깨달음을 얻었지요.

가끔 자신이 제일인지 알고 상대를 무시하거나 제멋대로 행동하는 친구를 본 적이 있을 거예요. 여러분이라면 어떤 꾀를 써서 친구의 잘못을 깨닫게 해 줄지 곰곰이 생각해 보세요.

카테리나는 페트루키오를 만나 성격이 정반대로 바뀌었어요. 게다가 많은 사람들 앞에서 훌륭한 아내라고 칭찬까지 받았지요. 이 모든 게 남편을 먼저 치켜세우고 존중했기 때문이랍니다.

여러분이 다른 사람들에게 인정이나 칭찬을 받기 원하다면 카테리나처럼 먼저 상대를 존중하고 인정할 줄 알아야 해요. 상대를 높여 주지 않고 혼자만 높아질 수는 없거든요.

화려한 겉모습이 아니라 페트루키오 처럼 깊은 속마음을 들여다볼 줄 알면 좋겠어.

그래, 페트루키오 처럼 진심으로 위해 주고 염려해 준다면 놀라운 변화가 일어날 거야. 카테리나의 꽁꽁 닫힌 마음도 사르르 녹았잖아.

PART4

PART4 PART4

PART4 PART4 PART4

PART4 PART4 PART4 PART4

PART4 PART4 PART4 PART4

PART4 PART4 PART4 PART4 PART

PART4 PART4 PART4 PART4 PART4

PART4 PART4 PART4 PART4 PART4

PART4 PART4 PART4 PART

PART4 PART4 PART4

PART4 PART4

자, 이제부터 실전 논술이야.
부담 갖지 말고 생각을 차근차근
풀어내 보렴.

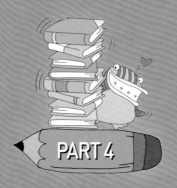

논술 워크북

1-1 루첸티오는 왜 하인 트라니오를 자신으로 변장시키고, 자신은 가정 교사 행세를 했나요?

1-2 페트루키오가 변덕스럽게 굴면서 카테리나를 괴롭힌 까닭은 무엇인가요?

HINT

본문을 잘 읽고 물음에 답하세요.

2 〈말괄량이 길들이기〉에 나타나 있는 여성의 위치와 관련된 사회 분위기는 어떠했나요?

HINT

작품 속에서 여성에게 어떤 점이 요구되고 있는지, 여성의 삶을 결정하고 있는 것이 무엇인지 분석해 보세요.

3 〈말괄량이 길들이기〉에서는 페트루키오가 카테리나의 드센 성질을 길들이는 모습을 그리고 있습니다. 그런데 만약 그 반대로 카테리나가 페트루키오의 괴짜 기질을 길들이려고 한다면 어떻게 해야 효과적이며, 그 결과는 어떻게 나타날까요? 각자 상상하고 이야기해 보세요.

HINT

자유롭게 상상해 보고, 이야기해 보세요.

4 '페트루키오는 폭력 남편이다.'라는 주장에 대하여 여러분은 어떻게 생각하나요? 여러분의 생각에 따라서 이 주장을 찬성하거나 반대하는 논증을 완성해 보세요.

HINT

페트루키오가 남편으로서 폭력을 썼다면, 그것이 어떤 행동이었는지 근거로 제시하세요.

5 다음은 〈말괄량이 길들이기〉에 나오는 부분들입니다.

(가) "그래, 사랑스러운 비앙카, 하늘이 참 예쁘구나."

밥티스타는 비앙카의 손을 다정하게 잡으며 말했다. 그러자 큰딸 카테리나가 거칠게 쏘아붙였다.

"흥, 아버지에게는 늘 비앙카뿐이죠?"

밥티스타는 당황한 얼굴로 카테리나를 달랬다.

"카테리나, 너도 내 소중한 딸이란다. 제발 그 불같은 성격 좀 고칠 수 없겠니?"

"저는 원래 말괄량이니 내버려 두세요! 아버지가 비앙카만 사랑하시는 걸 저도 알고 있다고요."

카테리나는 토라진 표정을 풀지 않고 소리쳤다.

(나) "흥, 비앙카는 아버지의 보물이죠? 아버지는 늘 비앙카만 감싸요. 비앙카한테는 더 좋은 남편을 얻어 주고 싶으실 거예요. 비앙카의 결혼식 날에 노처녀 언니인 저는 맨발로 춤을 추겠지요. 저한테는 어떤 위로도 하지 마세요. 저는 그저 혼자 앉아서 외롭게 울 테니까요."

카테리나는 온갖 고약한 말을 다 내뱉기로 작정한 듯했다. 밥티스타는 고개를 저으며 큰딸의 말을 가로막았다.

"카테리나, 어리석은 소리 하지 마라. 내가 너를 얼마나 걱정하는지 모르겠니?"

(다) 밥티스타는 딸을 시집보내고 싶은 마음이 굴뚝같았지만 그렇다고 거짓말을 할 수는 없었다. 그래서 숨기지 않고 솔직하게 말했다.

"다시 한 번 신중하게 생각해 보게. 카테리나는 솔직히 좋은 신붓감은 아니라네."

"제가 사윗감으로 마음에 드시지 않나 보군요."

페트루키오의 말에 밥티스타는 손까지 내저으며 변명했다.

"젊은 양반, 오해하지 말게. 나는 사실대로 말했을 뿐이네. 나중에 후회할 일 만들지 말고 다시 생각해 보게."

"저는 이미 카테리나 양과 결혼하기로 마음을 굳혔습니다."

페트루키오의 결심은 확고했다.

윗글에 나타난 카테리나와 아버지의 관계에 대하여 서술하고, 그것이 카테리나와 페트루키오의 결혼에 어떠한 영향을 주었는지에 대해 자신의 생각을 논술해 보세요.

HINT

제시문에서 카테리나는 아버지에게 사랑받지 못한다고 느끼고 있습니다.

6 다 쓴 글을 친구나 부모님 앞에서 발표해 보세요. 그리고 듣는 사람이 고개를 끄덕이는지 아니면 고개를 갸우뚱하는지 반응도 살펴보세요. 발표가 끝난 후 평가도 부탁해 보세요.

가이드북
GUIDE BOOK

작품의 전체 줄거리

피사의 명문가 도련님 루첸티오는 파도바에 갔다가 비앙카라는 아가씨에게 한눈에 반합니다. 비앙카는 이미 오르텐시오와 그레미오 같은 청혼자를 거느리고 있습니다. 그러나 비앙카의 언니 카테리나는 말괄량이로, 어떤 남자의 청혼도 받지 못합니다. 괴짜로 이름난 페트루키오는 파도바에 왔다가 카테리나에게 청혼하고, 결혼식을 올리자마자 카테리나를 데리고 시골 별장으로 떠납니다. 그사이 루첸티오는 변장을 한 채 비앙카의 가정 교사로 접근하여 마음을 얻습니다. 한바탕 소동이 벌어진 끝에 루첸티오는 정체를 밝히고, 축복 속에서 비앙카를 아내로 맞습니다. 한편 페트루키오는 굶기고, 잠을 재우지 않는 등의 이상한 방법을 써서 카테리나의 기를 꺾어 놓습니다. 얼마 뒤에 파도바에 방문한 카테리나는 가장 순종적인 아내의 모습을 보여 사람들을 놀라게 합니다

〈말괄량이 길들이기〉의 의미

영국이 자랑하는 극작가 윌리엄 셰익스피어의 희극 작품으로 원래는 무대 상연을 위한 희곡 작품입니다. 셰익스피어는 엘리자베스 1세 여왕이 통치하던 시대인 1590년대부터 1613년 사이에 극작가로 활동하였습니다. 이 작품은 한 말괄량이 아가씨와 젊은이들의 사랑과 결혼에 따른 소동을 경쾌하고 재치 있게 그려 내고 있습니다. 개성 있는 등장인물들의 행동이 시종 웃음을 자아내면서도, 그 안에 인간과 사회에 대한 빛나는 통찰이 담겨 있어 좋은 평가를 받고 있습니다. 운율감, 말장난 등 셰익스피어의 작품에서 두드러지는 특징을 이 작품에서도 볼 수 있으며, 상공업이 번창하고 근대로 전환하던 시대의 활기찬 분위기를 엿볼 수 있습니다.

1-1 사고 영역 _ 사실적 이해

본문을 잘 읽었는지 확인하는 문제입니다.

　루첸티오가 하인 트라니오에게 자신의 행세를 하게 하고, 자신은 가정 교사로 행세한 것은 비앙카에게 접근하기 위함이었습니다. 루첸티오는 숲에서 엿들은 이야기로 당분간 구혼자들이 비앙카에게 접근할 수 없으며, 밥티스타는 비앙카의 가정 교사를 구하고 있다는 것을 알았지요.

1-2 사고 영역 _ 사실적 이해

본문을 잘 읽었는지 확인하는 문제입니다.

　결혼식을 올리고 나서 페트루키오는 카테리나를 교묘하게 괴롭혔습니다. 한껏 친절하고 다정하게 말하면서, 밥을 못 먹게 하고 잠을 못 자게 하는 등 카테리나를 들었다 놨다 했지요. 페트루키오가 이렇게 행동한 까닭은 드센 말괄량이인 카테리나의 기를 꺾어 좋은 아내로 만들기 위한 것이었습니다.

CHECKPOINT

본문을 읽고서 주요 내용을 바르게 파악했는지 확인합니다.

2 **사고 영역 _ 비판적 사고**

등장인물의 성격을 분석해 보면서 작품에 대한 이해도를 높입니다.

카테리나는 젊고 아름다운 외모를 가졌지만, 드세고 반항적인 성격 탓에 남자들이 모두 피하는 존재입니다. 반면에 얌전한 동생 비앙카에게는 수많은 구혼자들이 있습니다. 이를 통해 우리는 작품의 배경이 된 당시 사회에서 여성들에게 요구된 덕목이 순종적인 성품과 행동이라는 것을 알 수 있습니다. 또한 남자들이 아가씨에게 직접 구혼을 하지 않고, 그 아버지에게 결혼을 청하는 것을 볼 때 아버지의 생각과 뜻이 결혼에 절대적이라는 것을 알 수 있습니다.

이는 여성이 스스로 자기 인생을 선택하고 결정할 수 없었다는 뜻이 됩니다. 결혼 뒤에 페트루키오가 카테리나를 길들이는 과정이나 카테리나의 '남편은 우리의 주인이며 생명이며 수호자예요.' 라는 말에서는 당시 사회에서 결혼한 여성은 남편의 뜻에 절대적으로 순종해야 했다는 것을 알 수 있습니다.

위와 같이 작품에 나타난 당시 여성의 위치를 종합해 보면, 여성은 남성에게 복종해야 하는 존재였다는 것과, 순종이 여성이 가져야 할 최고의 덕목이었다는 것을 알 수 있습니다.

CHECKPOINT

작품의 내용에 대한 분석을 바탕으로, 당시 사회적으로 여성은 남성에게 복종하는 입장에 있었다는 것을 설명할 수 있어야 합니다.

3 사고 영역 _ 창의적 사고

작품을 반대로 뒤집어 생각해 보면서, 작품에 대한 흥미를 높이고 창의력을 기릅니다.

여성을 정복하고 순종적으로 길들여야 할 대상으로 보았던 과거 사회에서는 〈말괄량이 길들이기〉처럼 남성이 주체가 되어 여성을 변화시키는 이야기가 더 많았습니다. 그러나 여성의 지위가 향상되고, 남성과 여성이 인간으로서 동등한 권리를 가졌다고 생각되는 현대에는 거꾸로 여성이 남성을 길들이는 '나쁜 남자 길들이기' 류의 이야기들도 많이 나오고 있습니다.

만약 카테리나가 페트루키오를 길들이려고 한다면, 어떤 방법을 쓰면 좋을까요? 우선 하인들을 모두 자기편으로 만들어서 페트루키오를 골탕 먹일 수도 있을 것입니다. 하인들은 페트루키오의 급하고 난폭한 성격에 줄곧 당하고 살았으므로, 의외로 순순히 카테리나에게 협조할 수도 있을 것입니다.

모두가 똘똘 뭉쳐 시침을 떼거나 일을 최대한 느릿느릿 하면서 신경을 긁는 건 어떨까요? 페트루키오가 처음에는 길길이 뛰며 화를 내다가 나중에는 제풀에 지쳐서 항복을 하고 급한 성질을 고치게 되지 않을까요? 정답이 없는 문제이므로, 각자 자유롭게 생각한 것을 이야기해 봅니다.

 CHECKPOINT

자유롭게 상상해 보고 나서 이야기해 봅니다.

사고 영역 _ 논리적 사고

하나의 주장에 대해서 찬성하거나 반대하는 논증을 만들어 보면서 자신의
주장을 효과적으로 구성하는 논술의 기초를 배우게 됩니다.

● **찬성하는 논증의 예** : 페트루키오는 폭력 남편이 맞습니다. 꼭 주먹을
휘둘러야만 폭력 남편이 아닙니다. 고의적인 방법으로 아내를 괴롭히
는 것도 폭력입니다. 페트루키오는 카테리나를 훌륭한 아내로 길들인
다는 이유로 정신적, 육체적으로 카테리나를 괴롭혔습니다. 흙탕물에
서 뒹굴게 하고, 밥을 먹지 못하게 하고, 잠을 못 자게 하는 것은 잔인
한 고문이나 마찬가지입니다. 이런 식으로 카테리나의 순종을 이끌어
내는 것은 옳지 않습니다. 페트루키오는 교활한 폭력 남편입니다.

● **반대하는 논증의 예** : 페트루키오를 폭력 남편이라고 하는 것은 무리가
있습니다. 페트루키오가 잠시 동안 아내를 괴로운 상황에 처하게 만든
건 사실이지만 그것은 난폭한 폭력과는 거리가 멀었으며, 고통을 주기
위한 것이 아니라 행복한 결혼 생활을 위한 것이었습니다. 말괄량이 카
테리나는 당시로서는 정상적인 결혼 생활을 할 수 없는 상태였습니다.
즉 페트루키오는 재치 있는 행동으로 카테리나가 결혼 전의 습관을 버
리고, 행복한 결혼 생활을 시작할 준비를 하도록 도와준 것입니다.

 CHECKPOINT

주장을 뒷받침하는 타당하고 적절한 근거를 제시하는 것이 중요합니다.

5 사고 영역 _ 논리적 사고

제시문을 분석하고 바르게 파악한 내용을 바탕으로 논술 주제에 접근해야
합니다.

　제시문을 읽어 보면, 카테리나가 아버지에게 불만을 갖고 있다는 것이
잘 나타납니다. 카테리나는 아버지가 동생인 비앙카만을 사랑하고 자신
에게 소홀하다는 느낌을 받고 있습니다. 아버지의 사랑을 느끼지 못하는
카테리나의 열등감은 동생인 비앙카를 괴롭히고 아버지 앞에서도 거친
말을 내뱉는 것으로 나타납니다.

　밥티스타도 카테리나를 사랑하지 않는 것은 아니지만, 비앙카를 믿고
귀여워하는 마음에 비해서 카테리나에 대한 믿음은 갖고 있지 않습니다.
밥티스타는 자신의 딸을 '좋은 신붓감이 아니다'라고 부정적으로 인식하
고 있으며, 이런 태도를 카테리나 앞에서나 다른 사람들 앞에서 그대로
드러냅니다.

　즉 아버지는 딸을 인정하지 못하고, 아버지에게 인정받지 못하고 마음
에 상처를 받은 카테리나는 나날이 더 비뚤어지고 난폭한 행동을 합니다.

　이와 같이 제시문에 나타난 아버지 밥티스타와 카테리나의 관계를 정
리했다면, 이것을 토대로 자신의 생각을 논술해 볼 수 있습니다.

CHECKPOINT

아버지와의 어긋난 관계에서 오는 분노가 카테리나의 난폭함에 영향을 끼쳤다는 점
을 이해할 수 있어야 합니다.

다음 글은 논술 5단계 문제에 대한 예시 글입니다. 지도에 참고하시기 바랍니다.

제시문은 말괄량이 카테리나와 아버지 밥티스타의 좋지 못한 관계를 보여 주는 부분들입니다. 카테리나는 틈만 나면 동생에 대한 아버지의 편애에 불만을 터뜨리고 난폭한 행동을 합니다. 아버지 밥티스타는 카테리나를 사랑하지 않는 것은 아니지만, 시종일관 쩔쩔매기만 하면서 제대로 된 애정과 관심을 표현하지 못합니다. 또한 자신의 딸을 감당하기 힘든 골칫덩이로 여기며, 누군가에게 사랑받고 인정받을 수 있다는 것을 믿지 못합니다. 페트루키오의 청혼에 밥티스타가 보인 반응을 보면, 카테리나를 전혀 믿거나 인정하지 않는다는 것을 알 수 있습니다.

두 사람의 불만족스러운 관계는 카테리나를 더욱 난폭한 상태로 몰고 가는 역할을 했습니다. 일종의 애정 결핍을 만든 것입니다. 카테리나가 다른 남자들에게 과도하게 공격적인 모습을 보이는 것은 애정 결핍을 감추기 위한 방어적인 모습입니다.

두 사람의 관계는 페트루키오와 카테리나의 관계에도 영향을 끼쳤습니다. 처음에 페트루키오를 보았을 때, 카테리나는 늘 그랬듯이 심한 말을 퍼부으며 밀어냈습니다. 다행히 페트루키오는 밥티스타와는 전혀 다르게 온갖 칭찬을 늘어놓아서 카테리나의 마음을 조금 여는 데 성공했습니다. 결혼식 뒤에도 행동으로는 카테리나의 기를 꺾었지만 말로는 온갖 칭찬과 달콤한 소리를 늘어놓으며 결국 카테리나의 마음을 열었습니다.

페트루키오는 카테리나와 아버지의 관계를 꿰뚫어 보고 반대로 이용하는 기지를 발휘함으로써, 카테리나를 길들일 수 있었던 것입니다.

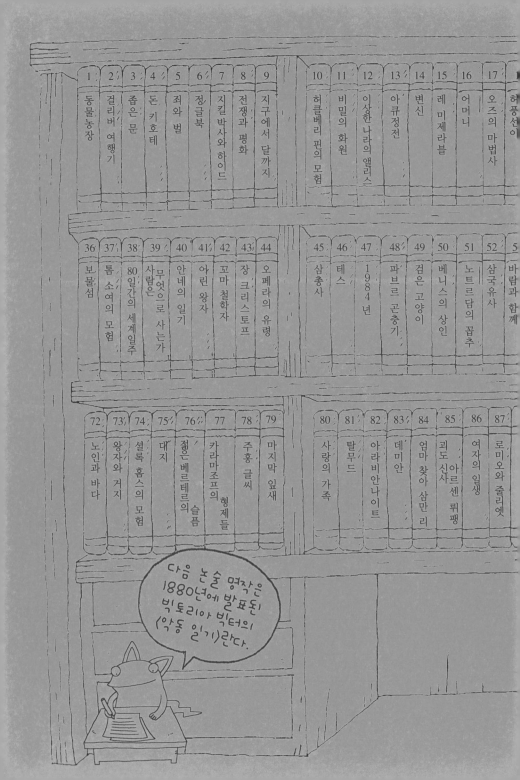

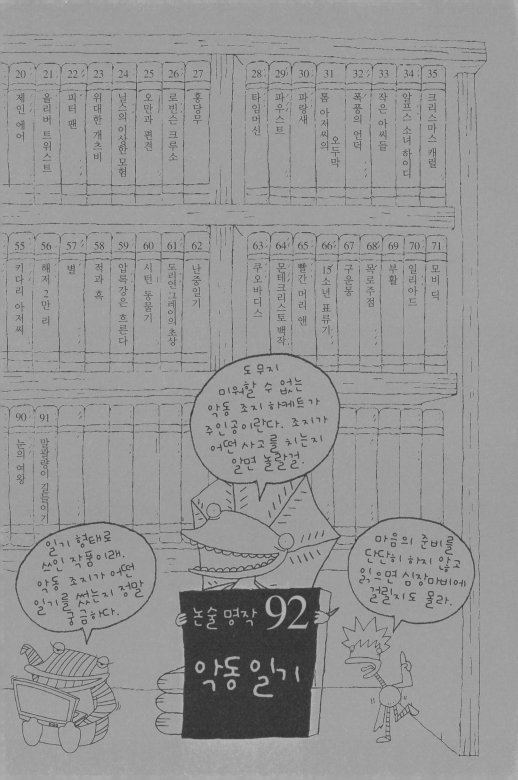